Os Nomes Bíblicos

e seus significados

Impresso no Brasil/*Printed in Brazil*

Arte e coordenação gráfica de:
Natanael Firme de Moura

Capa de:
Zenário Araujo de Oliveira

Composição:
Anair Xavier dos Santos

8ª Edição 2002

PEDIDOS:
Rua Paulino de Brito, 83
CEP 02223 – São Paulo (SP)
Tel.: 949-3879

EVANDRO DE SOUZA LOPES

Os Nomes Bíblicos

e seus significados

CPAD

Dados de Catalogação na Publicação (CIP) Internacional
(Câmara Brasileira do Livro, SP, Brasil)

Lopes, Evandro de Souza, 1943 –

Os nomes bíblicos e seus significados / Evandro de Souza Lopes. — São Paulo : E. D. Lopes, 1990.

1. Nomes na Bíblia I. Título

89-2295 CDD-220.6

Índice para catálogo sistemático:

1. Nomes bíblicos : Significados 220.6

Agradecimentos

A Deus, a Trindade excelsa, pois foi quem me deu vida, saúde e inteligência para elaboração desta obra.

A minha querida esposa Zenaide, aos meus filhos, Elaine, César e Luciene pela compreensão, quando muitas vezes não lhes dei a devida atenção.

Principalmente a minha filha Elaine que cooperou na montagem e elaboração desta obra.

Meus sinceros agradecimentos.

Apresentação

Poucos autores têm se preocupado em transmitir coisas novas. O escritor, Pastor EVANDRO DE SOUZA LOPES faz chegar às mãos do nosso público-leitor um importante livro cheio de elucidações e curiosidades bíblicas.

"OS NOMES BÍBLICOS E OS SEUS SIGNIFICADOS", vem ajudar os que amam as páginas da Bíblia.

O significado de cada nome do Livro Sagrado auxilia-nos na interpretação de textos e abre-nos novos horizontes para a boa homilética.

Creio que este livro chegou no tempo certo de Deus, para preencher a lacuna ainda existente neste vasto campo.

Aconselhamos a todos a leitura deste importante compêndio.

Pr. JOSÉ WELLINGTON BEZERRA COSTA

Nota a 3ª Edição

Nesta nova edição desta obra, vem sendo acrescentado mais nomes bíblicos que não constavam nas edições anteriores, pois faltavam referências para chegar-mos a definição dos seus significados com ajuda dc Deus e colaboração dos irmãos, estamos ampliando esta obra e acrescentando mais um anexo de nomes comuns e não bíblicos no final da parte bíblica.

Existem nomes que são relacionados mais de uma vez, a causa da necessidade da repetição são as traduções de forma errônea ou outras fontes de informações.

Esta obra na atualidade contém mais de 4.600 nomes bíblicos e 900 nomes comuns que estão no final, que vem após a parte dos nomes bíblicos.

Prefácio

Entre os povos antigos, especialmente o povo de Israel, o nome não era reputado apenas como simples etiqueta, mais sim dado para representar a natureza do ser que o carrega.

A escolha do mesmo tinha máxima importância, pois os judeus, como todos os habitantes do mundo antigo, atribuíam uma influência numerosa e especial a cada nome da existência.

Na lenda egípcia de Ísis vemos a deusa milagrosa recusando-se a curar "Ra" da mordida de uma serpente enquanto não dissesse o seu nome, no qual residia o segredo do seu poder.

Da mesma forma, na história de Moisés Deus lhe confere o maior símbolo de sua confiança revelando-lhe o seu nome.

Acredita-se que o nome fazia parte integral do indivíduo, que tinha influência sobre o caráter e até sobre o destino. Apegavam-se de tal forma a isto que um rabino chegou a dizer: "A condenação do céu pode ser modificada por uma mudança de nome."

Por exemplo, no livro de Cantares de Salomão, verdadeiro retorno aos primeiros tempos, à juventude da humanidade, aparecem dois nomes que, segundo se diz, não expressam apenas a idéia comum de um homem *Ish* e de aquela que leva seu nome *Isha* – Gn 2.23, e sim por Salomão *Shelomo* e Sulamita *Shulamith*. O nome que eles trazem prova a necessidade de paz (Shalom!) e do perdão divino, para que não haja "dureza de coração".

O direito de escolher o nome do filho pertencia tanto ao pai como a mãe. No relato do nascimento de João Batista vemos Zacarias insistindo neste direito, já no caso de Eva, a mãe da humanidade, é atribuído-lhe a escolha dos nomes de sua posteridade e assim por diante.

O Pastor Evandro de Souza Lopes, neste seu livro OS NOMES BÍBLICOS E SEUS SIGNIFICADOS, está de parabéns; como também de parabéns estará o povo em geral pela leitura e meditação desta valiosa obra.

Recomendamos a todos a sua leitura e divulgação.

São Paulo – Capital
Pr. Severino Pedro da Silva

Palavra do Autor

Este livro nasceu quando, como pastor da Igreja Evangélica – Assembléia de Deus, na cidade de Sumaré, Estado de São Paulo, fui apresentar uma criança, e perguntei o seu nome à sua mãe. Achei-o um tanto quanto estranho e prefiro não citá-lo pois poderia sensibilizá-lo.

Chegando em casa pesquisei e descobri que o significado daquele nome era constrangedor.

Após ter lido a Bíblia por mais de vinte vezes (na época) comecei a pesquisar todos os nomes. Qual não foi minha surpresa, ganhei experiências novas. Com isso achei que se publicasse o significado dos nomes ajudaria alguém a elaborar seus sermões e estudos bíblicos.

O livro, que ora meu caro leitor tem nas mãos, não é um livro só para ler, passar para outros ou ficar na biblioteca, este livro é para que os estudantes da Bíblia possam descobrir coisas novas para seu elevo espiritual.

Espero que o leitor entenda que não pretendo esgotar o assunto, pois a Bíblia é uma fonte inesgotável. Aqui está uma pequena partícula daquilo que consegui através de orações e pesquisas.

Se for beneficiado será para a glória de Deus, se não. . .

O AUTOR

ABREVIATURAS UTILIZADAS NESTE LIVRO

GÊNESIS	GN
ÊXODO	ÊX
LEVÍTICO	LV
NÚMEROS	NM
DEUTERONÔMIO	DT
JOSUÉ	JS
JUÍZES	JZ
RUTE	RT
1SAMUEL	1SM
2SAMUEL	2SM
1REIS	1RS
2REIS	2RS
1CRÔNICAS	1CR
2CRÔNICAS	2CR
ESDRAS	ED
NEEMIAS	NE
ESTER	ES
JÓ	JÓ
SALMOS	SL
PROVÉRBIOS	PR
ECLESIASTES	EC
CANTARES DE SALOMÃO	CA
ISAÍAS	IS
JEREMIAS	JR
LAMENTAÇÕES DE JEREMIAS	LA
EZEQUIEL	EZ
DANIEL	DN
OSÉIAS	OS
JOEL	JL
AMÓS	AM
OBADIAS	OB
JONAS	JN
MIQUÉIAS	MQ
NAUM	NA
HABACUQUE	HB

SOFONIAS	SF
AGEU	AG
ZACARIAS	ZC
MALAQUIAS	ML
MATEUS	MT
MARCOS	MC
LUCAS	LC
JOÃO	JO
ATOS	AT
ROMANOS	RO
1CORÍNTIOS	1C
2CORÍNTIOS	2C
GÁLATAS	GL
EFÉSIOS	EF
FILIPENSES	FL
COLOSSENSES	CL
1TESSALONICENSES	1TS
2TESSALONICENSES	2TS
1TÍMÓTEO	1TM
2TIMÓTEO	2TM
TITO	TT
FILEMOM	FI
HEBREUS	HE
TIAGO	TG
1PEDRO	1PE
2PEDRO	2PE
1JOÃO	1JO
2JOÃO	2JO
3JOÃO	3JO
JUDAS	JD
APOCALIPSE DE JOÃO	AP
1MACABEUS	1MAC
BARUC	BA
JUDITE	JT
SIRAC	SI
TOBIAS	TB

A

AARÁ, hebraico: irmão exaltado – 1CR 8.1
AARÃO, hebraico: arca, brilhante, luminoso – 1Cr 24.1
AAREL, hebraico: a força tem permanecido – 1Cr 4.8
AASA, hebraico: possuidor – 1Cr 8.35
AASBAI, hebraico: despojo ou belo – 2Sm 23.34
AAVA, hebraico: água de corrente contínua – Ed 8.15
AAZAI, hebraico: clarividente – Ne 11.13
AAZIZ, hebraico: sustentado pelo Senhor – 2Cr 22.6
ABA, hebraico: pai – Mc 14.36
ABÃ, hebraico: membro da tribo de Judá, irmão do discernimento – 1Cr 2.29
ABADOM, hebraico: destruição, perdição – Jó 26.6
ABAGTÁ, persa: dado pela felicidade ou Deus tem dado – Et 1.10
ABAIL, hebraico: pai de fortaleza – Nm 3.35
ABAM, membro da tribo de Judá, irmão do discernimento – 1Cr 2.29
ABANA, persa: rochoso, pedregoso – 2Rs 5.12
ABARIM, hebraico: região de além – Nm 33.47
ABES, hebraico: brancura – Js 19.20
ABDA, aramaico: servo de Jeová – 1Rs 4.6
ABDEEL, hebraico: servo de Deus – Jr 36.26
ABDI, hebraico: meu servo – 1Cr 6.44
ABDIEL, hebraico: servo de Deus – Jr. 36.26
ABDOM, hebraico: servil – Jr 12.13
ABEDE-NEGO, servo do Nego ou Nebo – Dn 1.7
ABEL, hebraico: sopro, vapor, ou filho – Mt 23.35, Mt 4.2
ABEL-BATE-MAACA, hebraico: prado da casa de Maaca – 2Sm 20.15

ABEL-MAIM, hebraico: prado das águas – 2Cr 16.4
ABEL-MEOLÁ, hebraico: prado da dança – Jz 7.22
ABEL-MIZRAIM, hebraico: prado do Egito – Gn 50.11
ABEL-QUIRAMIM, hebraico: prado das vinhas – Jz 11.33
ABEL-SITIM, hebraico: prado das acácias - Nm 33.49
ABI, hebraico: Jeová é pai – 1Rs 14.1
ABIA – hebraico: Jeová é o pai – 1Cr 2.24
ABI-ALBOM, hebraico: pai da fortaleza – 2Sm 23.31
ABIASAFE, hebraico: pai de proteção – Ex. 6.24
ABIAL, hebraico: pai da força - 2Cr 2.29
ABIÃO, hebraico: pai do mar – 1Cr 2.29
ABIAS, hebraico: Jeová é pai – 1Rs 14.1
ABIATAR, hebraico: pai da abundância – 1Sm 22.20
ABIAZAFE, hebraico: pai de proteção – Êx 6.24
ABIBE, hebraico: espigas novas, primeiro mês do ano hebraico – Êx 13.4
ABIDA, hebraico: pai de sabedoria – Gn 25.4
ABIDÃ, hebraico: meu pai é juiz – Nm 1.11
ABDIAS, hebraico: servo de Deus, o mesmo que Obadias – 1Cr 4.2, Ob 1.1
ABIEL, hebraico: pai da força – 1Sm 9.1
ABIEZER, hebraico: meu pai é auxílio – Js. 17.2
ABIEZERA, hebraico: meu pai é auxílio – Js 17.2
ABIGAIL, hebraico: meu pai é alegria ou fonte de alegria – 1Cr 2.16
ABILA, grego: prado ou planície – Lc. 3.1
ABILENE, grego: prado ou planície – Lc 3.1
ABIMAEL, hebraico: pai de Mael – Gn 10.28
ABIMELEQUE, hebraico: meu pai é rei – Gn 21.25
ABINADABE, hebraico: meu pai é nobre, ou pai da liberdade – 1Sm 7.1
ABINÕA, hebraico: pai de doçura ou de graça – Jz 4.6
ABINOÃO, hebraico: pai da graça – Jz 5.12
ABIQUEILA, hebraico: fortaleza, castelo – 1Cr 4.19
ABIRÃ, hebraico: meu pai é elevação – Nm 16.1
ABIRÃO, hebraico: meu pai é elevação – Nm 16.1
ABISAL, hebraico: meu pai é Jessé, ou pai possui tudo que é desejável – 2Sm 2.18
ABISAQUE, hebraico: meu pai foi homem errante – 1Rs 1.4

ABISSINIA, hebraico: o mesmo que Etiópia, **grego:** Antiopia, sol abrasador – Sl 68.31
ABISUA, hebraico: pai da salvação ou felicidade – 1Cr 8.4
ABISUR, hebraico: meu pai é uma parede – 1Cr 6.4
ABITAL, hebraico: meu pai é orvalho – 2Sm 3.4
ABITUBE, hebraico: pai da bondade ou benegnidade – 1Cr 8.8
ABIÚ, hebraico: meu pai é Deus – Êx 6.23
ABIÚDE, hebraico: pai de majestade ou digno de louvor – 1Cr 8.3
ABINER, hebraico: pai da luz ou lâmpada, 1Sm 4.31
ABNER, hebraico: pai da luz ou lâmpada – 1Sm 4.31
ABRÃO, hebraico: pai exaltado – Gn 11.27
ABRAÃO, hebraico: pai da multidão – Gn 17.5
ABRONA, hebraico: passagem ou oposto – Nm 33.34
ABSALÃO, hebraico: pai da paz, Deus é prosperidade – 2Sm 3.31
ABSINTO, hebraico: alosna, fel, amargura – Ap 8.11
ACÃ, hebraico: turbulento, pertubados – Gn 36.27
ACABE, hebraico: irmão do pai – 1Rs 16.28
ACÁCIA, grego: penoso, espinhoso – Êx 25.10
ACADE, latim: antiga de Sinear, espalhada – Gn 10.10
ACAIA, grego: antiga Grécia – At 18.27
ACAICO, natural de Acaia – 1Co 16.17
ACAREL, hebraico: a força tem permanecido – 1Cr 4.8
ACAROM, hebraico: emigração – Js 13.3
ACASBAI, hebraico: desprezo – 2Sm 23.34
ACAZ, hebraico: ele tem sustentado – 2Rs 16.3
ACAZIAS, hebraico: Jeová é Senhor, ou Jeová tem sustentado – 1Rs 22.40
ACBAL, hebraico: gordo, fértil – Jz 1.31
ACBOR, hebraico: camundongo, rato – Gn 36.39
ACÉLDAMA, latim: campo de sangue – Mt 27.8
ACMETA, Hangmátana = imenso, cidade da média, hoje chamada Hamadã, no Irã – Ed 6.2
ACO, hebraico: areia quente – Jz 1.31
ACOBOR, hebraico: camundongo, rato - 1Cr 1.49
ACOR, hebraico: perturbação – Js 7.24
ACOROM, hebraico: emigração – Js 13.3
ACOS, hebraico: espinho – 1Cr 24.1

ACRABATINE, hebraico: escorpião – Nm 34.4

ACRABIM, hebraico: escorpião – Nm 34.4

ACRE, hebraico: areia quente, o mesmo que Aço – 1Mac 9.36

ACSA, hebraico: tornozeleira – Js 15.16

ACSAFE, hebraico: fascinação – 11.1

ACUBE, hebraico: artificioso – 1Cr 3.24

ACZIBE, hebraico: enganoso – Js 21.31

ADA, hebraico: beleza – Gn 4.19

ADÃ, hebraico: enfeitada – Ed. 2.59

ADADA, hebraico: dia festivo – Js 15.22

ADAIS, hebraico: Jeová embelezou – 2Rs 22.1

ADAÍAS, hebraico: O Senhor adornou – 1Cr 8.21

ADALIA, grego: nobreza, nobre – Et 9.8

ADAMÁ, hebraico: solo – Gn 10.19

ADAMA, hebraico: vermelhidão – Gn 10.19

ADAMI, hebraico: humano – Js 19.33

ADAMI-NEGUEBE, hebraico: humano – Js 19.33

ADÃO, hebraico: homem de terra vermelha ou vermelho – Gn 1.26

ADAR, hebraico: 12º mês do ano judaíco (fevereiro, março), amplítude, largura, Ornamento, glória – Ed 6.15, Js 15.4

ADAREZER, hebraico: majestade – 1Cr 25.3

ADASA, hebraico: murta – 1Mac 7.40

ADBEEL, hebraico: servo de Deus – Gn 25.13

ADENO, hebraico: voluptuoso – 2Sm 23.8

ADI, grego: forma grega de Ido – Lc 3.28

ADIEL, hebraico: ornamento de Deus – 1Cr 4.36

ADIM, hebraico: delicada – Ed 2.15

ADIMI, hebraico: humano – Js 19.33

ADINA, hebraico: delicada ou sensivel – Ed 2.15

ADINO, hebraico: delicado – 1Cr 11.42

ADITAIM, hebraico: dupla passagem, cidade de duas presas – Js 15.36

ADLAI, hebraico: justiça de Jeová – 1Cr 27.29

ADMÁ, hebraico: vermelhidão – Gn 10.19

ADMÃ, hebraico: terra – Gn 10.19

ADMATA, nome persa de significação ignorada – Et 1.14

ADO, hebraico: festivo, oportuno – 1Rs 4.14

ADOM, hebraico: enfeitada – Ed 2.59

ADNA, hebraico: prazer – 1Cr 12.20
ADONI-BEZEQUE, hebraico: Senhor de Bezeque – Jz 1.5
ADONI-ZEDEQUE, hebraico: Senhor de retidão – Js 10.1
ADONIAS, hebraico: Jeová é Senhor – 1Rs 1.13
ADONICÃO, hebraico: o Senhor se levanta – Ed 2.13
ADONIRÃO, hebraico: o Senhor é engrandecido ou Senhor é exelso – 1Rs 4.6
ADORAM, hebraico: dois montes ou baluartes – 2Cr 11.9
ADORÃO, hebraico: o Senhor é exaltado – 2Sm 20.24
ADRAMELEQUE, hebraico: o Deus Adar é rei – 2Rs 17.31
ADRIÁ, hebraico: escura – At. 27.27
ADRIA-MELEQUE, hebraico: o deus Adar é rei – 2Rs 17.31
ADRIÁTICO, grego: derivado da cidade de Adria na Itália – At. 27.27
ADRIEL, hebraico: rebanho do Senhor ou congregação divina – 2Sm 21.8
ADULÃ, hebraico: recinto fechado, ou lugar da antigüidade – Gn 38.1
ADULÃO, hebraico: recinto fechado, ou lugar da antigüidade – Gn 38.1
ADUMIM, hebraico: vermelho, objetos vermelhos, ou subida de sangue – Js 15.7
ADURAM, hebraico: dois montes – 2Cr 11.9
AER, hebraico: outro – 1Cr 7.12
AFECA, hebraico: fortificação – Js 15.53
AFEGUE, hebraico: fortaleza – Js 12.18
AFES-DOMIM, grego: costa de Domim – 1Cr 11.13
ÁFIA, hebraico: revivido – 1Sm 9.1
ÁFRICA, um dos continentes, na Bíblia veja Ludim ou Etiópia, duplamente malicioso – Gn 10.13
ÁGABO, hebraico: gafanhoto – At 11.28
AGAGUE, hebraico: chama, flamejante – Nm 24.7
AGAR, hebraico: emigração, fuga – Gn 16.3
AGARAI, hebraico: vagabundo – 1Cr 11.38
AGATA, hebraico: brilhante – Ex 28.19
AGE, hebraico: fugitivo – 2Sm 23.11
AGEU, hebraico: alegria, festivo – Ag 1.1
AGRIPA, hebraico: glória da pele, heróico, ou que foi dada a luz com dificuldade – At 25.13

ÁGUAS DE CONTENDAS, hebraico: contendas de Cades – Ez 47.19

AGUR, hebraico: cobrador ou colecionador – Pv 30

AHI, hebraico: irmão de Jeová – 1Cr 5.15

AI, hebraico: a ruína – Gn 12.8

AIÁ, hebraico: ave de rapina – Gn 36.24

AIÃ, hebraico: fraterno como união ou ligado firmemente – 1Cr 7.19

AIÃO, hebraico: ruína – 2Sm 23.33

AIAI, hebraico: Narinas, narigudos – 1Cr 2.31

AIAM, hebraico: irmão da mãe ou amigo da nação – 1Cr 11.35

AIBE, hebraico: gordura – Jz 1.31

AICAN, hebraico: irmão do inimigo – 2Rs 22.12

AIÁS, hebraico: irmão de Jeová – 1Sm 14.3

AIATE, hebraico: monte de ruína – 1Sm 14.3

AICÃO, hebraico: meu irmão se levantou, ou irmão do amigo – 2Rs 22.12

AIEZER, hebraico: irmão de assistência ou auxiliador – Nm 1.12

AIJA, hebraico: irmão de Jeová – 1Sm 14.3

AIJALOM, hebraico: lugar das gazelas ou veados – Js 19.42

AIJELETE-HAS-SAAR; hebraico: corça da aurora, título do Salmo 22

AILATE, hebraico: fortaleza – 1Rs 9.26

AILUDE, hebraico: irmão de um que nasceu – 2Sm 8.16

AIM, hebraico: olho, fonte natural, 16º letra do alfabeto hebraico – Nm 34.11

AIMÃ, hebraico: dadivoso, irmão da mão direita – Js 15.14

AIMAÁS, hebraico: meu irmão está irado ou irascível – 1Sm 14.50

AIMAAZ, hebraico: irascivél, ou irmão esta irado – 1Sm 14.50

AIMÁS, hebraico: irascível – 1Sm 14.50

AIMELEQUE, hebraico: meu irmão é rei – 1Sm 22.20

AIMOTE, hebraico: irmão da morte – 1Cr 6.25

AINADABE, hebraico: meu irmão é nobre, ou irmão da liberdade – 1Rs 4.14

AINAS, hebraico: resposta do Senhor – Ne 8.4 (V.B.)

AINOÃ, hebraico: meu irmãó é gracioso – 1Sm 14.50

AIO, grego: instrutor ou professor, fraternal – Gl 3.24

AIÕ, hebraico: meu irmão – 2Sm 6.3

AIRA, hebraico: irmão do mal ou meu amigo – Nm 1.15

AIRÃ, hebraico: irmão engrandecido – Nm 26.38

AIRÃO, hebraico: irmão do que é exaltado – Nm 26.38

AISA, hebraico: irmão da aurora – 1Cr 7.10

AISAAR, hebraico: irmão da alva ou da aurora – 1Cr 7.10

AISAMAQUE, hebraico: irmão de apoio – Êx 31.6

AISAR, hebraico: irmão de canto – 1Rs 4.6

AITOFEL, hebraico: irmão de loucura – 2Sm 16.23

AITUBE, hebraico: meu irmão é bondade, filho de benevolência, ou irmão da formosura – 1Sm 14.3

AÍUDE, hebraico: irmão de majestade, ou pessoa digna de louvor – Nm 34.27

AJALOM, hebraico: um grande carneiro – Js 10.12

AJELET-SANAR, hebraico: veado da aurora ou corça da manhã – Sl 22

ALABE, hebraico: gordo – Jz 1.31

ALAI, hebraico: oh! isso! – 1Cr 11.41

ALAMELEQUE, hebraico: carvalho do rei – Js 19.26

ALAMETE, hebraico: vigor de juventude – 1Cr 7.8

ALAMOTE, hebraico: virgens – 1Cr 15.20

ALCIMO, grego: que tem mente forte – 1Mac 7.5

ALEFE, 1ª letra do alfabeto hebraico, boi – Sl 119.1

ALELUIA, latim: louvado seja Deus – Ap. 19.1

ALEMA, hebraico: esconderijo – 1Mac 5.26

ALEME, hebraico: um esconderijo – 1Mac 5.26

ALEMETE, hebraico: cobertura – 1Cr 7.8

ALEXANDRE, grego: que defende ou auxilia os homens – At 19.33

ALEXANDRE MAGNO, grego: o grande defensor do genero humano – 1Mac 1.1

ALEXANDRIA, grego: cidade de Alexandre – At 27.6

ALFA, grego: 1ª letra do alfabeto grego, princípio – Ap 1.8

ALFEU, grego: passageiro, transitório – Mc 2.14

ALIÁ, hebraico: sublime – Gn 36.40

ALIÃ, hebraico: sublime – 1Cr 1.40

ALIMAS, hebraico: um esconderijo – 1Mac 5.26

ALMATÁ, Hangámatana, cidade da média, hoje chamada Hamadã, no Irã, imenso – Ed 6.2

ALMODÁ, hebraico: imenso – 1Cr 1.20
ALMODADE, hebraico: agitador – 1Cr 1.20
ALMOM, hebraico: escondido no pé de figo – Nm 33.46
ALMOM-DIBLATAIM, hebraico: coisa escondida no pé de figo – Nm 33.46
ALOM, hebraico: carvalho ou forte – 1Cr 4.37
ALOM-BACUTE, hebraico: carvalho de lágrimas ou choro – Gn 35.8
ALOTE, hebraico: que produz leite – 1Rs 4.16
ALTÍSSIMO, latim: muito alto – Nm 24.16
ALUS, hebraico: tumultos de homens ou lugar deserto – Nm 33.13
ALUSHE, hebraico: lugar deserto – Nm 33.13
ALVA, hebraico: grande, alto – Gn 36.23
ALVÃ, hebraico: grande, alto – Gn 36.23
AMÃ, hebraico: conjunção – Js 15.26
AMÁ, hebraico: côvado – 2Sm 2.24
AMADE, hebraico: gente que dura, estação, domicílio – Js 19.26
AMAL, hebraico: tristeza ou enfado, – 1Cr 7.35
AMALEQUE, hebraico: belicoso – Gn 36.12
AMANA, hebraico: firmeza, tratado ou confusão – Ct 4.8
AMARIAS, hebraico: Jeová prometeu – 1Cr 6.7
AMASA, hebraico: pardo ou fardo – 1Cr 2.17
AMASAI, hebraico: penoso, pesado – 1Cr 6.25
AMASIAS, hebraico: fortaleza de Deus – 2Cr 17.16
AMASSAI, hebraico: pesado – Ne 11.13
AMAZIAS, hebraico: Jeová fortalece – 2Rs 14.1
AMÉM, latim: assim seja, firme, estabelecido – Sl 106.48
AMETISTA, grego: pedra de sonho – Êx 28.19
AMI, hebraico: meu povo – Os 2.1
AMIEL, hebraico: povo de Deus, ou Deus é fiel aliado – Nm 13.12
AMINADABE, hebraico: meu povo é nobre e íntimo – Rt 4.19
AMISADAI, hebraico: o Todo Poderoso é meu parente – Nm 1.12
AMITAI, hebraico: fiel – 2Rs 14.25
AMIUDE, hebraico: povo glorioso – Nm 1.10
AMIUR, hebraico: o meu povo deu – 1Cr 27.6
AMIZABADE, hebraico: o meu povo deu ou o parente doou – 1Cr 27.6

AMMOM, hebraico: fiel ou patrício – 2Sm 3.2
AMOM, hebraico: artesão – 2Rs 21.19
AMOQUE, hebraico: fundo – Ne 12.7
AMORREUS, hebraico: montanheses – Gn 10.16
AMÓS, hebraico: carregador de fardo – Am 1.1
AMÓZ, hebraico: forte, firme – 2Rs 19.2
AMPLIAS, grego: grande – Rm 16.8
AMPLIATO, grego: alargado – Rm 16.8
ANA, hebraico: cheia de graça – Lc 2.36
ANÁ, hebraico: que ouve, que concede – Gn 36.20
ANÃ, hebraico: nuvem – Ne 10.26
ANA-MALEQUE, o deus Anú é príncipe – 2Rs 17.31
ANAARATE, hebraico: passagem ou caminho estreito – Js 19.19
ANABE, hebraico: que produz uvas – Js 11.21
ANACARATE, hebraico: passagem – Js 19.19
ANAIAS, hebraico: resposta do Senhor – Ne 8.4
ANAMELEQUE, persa: o deus Anu é princípe – 2Rs 17.31
ANAMIM, hebraico: homem da rocha – Gn 10.13
ANANI, hebraico: nebuloso, ele cobriu ou nuvem do Senhor – 1Cr 3.24
ANANIA, hebraico: Jeová é protetor – Ne 11.32
ANANIAS, grego: resposta do Senhor (Novo Testamento) – At 5.1
ANANIAS, hebraico: Jeová cobriu (Novo Testamento) – Ne 3.23
ANAQUE, hebraico: pescoço comprido, ou colar – Nm 13.33
ANÁS, hebraico: Jeová tem sido gracioso – Lc 3.2
ANATE, hebraico: conceder, homem da rocha – Jz 3.31
ANATEMA, hebraico: maldição – Dt 7.26
ANATOTE, hebraico: orações respondidas – Js 21.28
ANDRÉ, grego: varonil ou vencedor – Jo 1.44
ANDRÔNICO, grego: conquistador de homens – Rm 16.7
ANÉM, hebraico: duas fontes – 1Cr 6.73
ANFÍPOLIS, hebraico: a cingida cidade ou cercada pelo mar – At. 17.1
ANGE, grego: mensageiro – Jt 2.12
ANI, hebraico: aflito – 1Cr 15.20
ANIÃ, hebraico: tristeza do povo – 1Cr 7.19
ANIAS, hebraico: resposta do Senhor – Ne 8.4
ANIÃO, hebraico: suspiro, ou tristéza do povo – 1Cr 7.19
ANIM, hebraico: fontes – Js 15.50

ANJO, hebraico: mensageiro – Hb 2.7
ANRÃ, hebraico: vermelho – Êx 6.18
ANRAFEL, hebraico: guarda dos deuses – Gn 14.1
ANRÃO, hebraico: inexperiência – Êx 6.18
ANRI, hebraico: eloqüente – Ne 3.2
ANSI, hebraico: robusto ou força de Deus - 1Cr 6.46
ANTI-CRISTO, grego: contra Cristo, em lugar de Cristo – 1Jo 2.18
ANTIOCO, grego: sofredor, valoroso como um carro de guerra – Mc 1.10
ANTIOQUIA, grego: pertencente a Antíoco – At 13.1
ANTIPÁS, grego: contratação de Antipater – contra todos – Ap 2.13
ANTIPARO, hebraico: igual ao pai – 1Mac 12.16
ANTIPÁTRIDE, grego: que pertence a Antipater – At 23.31
ANTIPATRIS, grego: que pertence à Antipater ou contra o pai – At. 23.31
ANTONIA(O), latim: inestimável, que não tem preço, **grego:** o que enfrenta inimigo – At 22.40
ANTOTIAS, hebraico: resposta do Senhor – 1Cr 8.24
ANTOTIJA, hebraico: resposta do Senhor - 1Cr 8.24
ANÚBE, hebraico: reunidos – 1Cr 4.8
ANZI, hebraico: robusto – 1Cr 6.40
AOÁ, hebraico: calor ou irmão do Senhor – 1Cr 8.4
AODI, hebraico: irmão de Jeová – 1Cr 8.6
AOÍ, hebraico: calor – 2Sm 23.9
AOITA, hebraico: amado do Senhor ou irmão do Senhor – 1Cr 11.12
AOLÁ, hebraico: Ele tem sua tenda – Ez 23.4
AOLIABE, hebraico: tenda de meu pai – Êx 31.6
AOLIBANA, hebraico: a minha tenda está no lugar – Gn 36.2
APAIM, hebraico: as narinas, ventas, porção dobrada – 1Cr 2.30
APÉLES, grego: exclusão, separação – Rm 16.10
ÁPIO, latim: nome de uma cidade da Itália – At 28.15
APOCALIPSE, grego: revelação
APOLIOM, grego: destruidor – Ap 9.11
APÓLO, grego: modificação do nome Apolonio ou Apolidoro, destruídor – At 18.24
APOLÔNIA, grego: pertence a Apólo, destruição – At 17.1

AQUIA, grego: irmão de, ou um irmão de Jeová – 1Sm 14.18
AQUIAS, grego: irmão de, ou um irmão de Jeová – 1Sm 14.18
ÁQUILA, latim: águia – At 18.2
AQUIM, hebraico: Jeová estabelecerá – Nt 1.14
AQUIMNELEQUE, hebraico: irmão de um rei – 1Sm 21.1-9
AQUIMOTE, hebraico: irmão da morte – 1Cr 6.25
AQUINOÃ, hebraico: irmão gracioso – 1Sm 14.50
ÁQUIS, hebraico: irado – 1Sm 21.10
AQUIOR, hebraico: estabelecerá – Tb 12.20
AQUISAMEQUE, hebraico: irmão auxiliador – Êx 31.6
AQUITOBE, hebraico: filho de benevolência – 1Sm 27.3
AQUITOFEL, hebraico: irmão de loucura – 2Sm 15.12 ou 16.23
AR, hebraico: cidade ou vila – Nm 21.15
ARA, hebraico: região de montanhas – 1Cr 7.38
ARÁ, hebraico: caminheiro ou viajante – Ed 2.5
ARÃ, hebraico: bode montes – Gn 36.28
ARABÁ, hebraico: planície – Dt 1.1
ARABE, hebraico: emboscada – Js 15.52
ARÁBIA, grego: região deserta ou esteril, – Js 10.18, Gn 29.1
ARADE, hebraico: asno montanhês ou fugitivo – Nm 21.1
ARAM, hebraico: alto, magnificiente – Gn 10.22
ARÃO, hebraico: brilhante, ou serrano – Êx 6.20
ARARÁ, turco: montanha de sofrimento – Jr 51.27
ARARATE, hebraico: terra sagrada – Gn 8.4
ARAÚNA, hebraico: ágil ou força de Baal – 1Cr 21.15, 2Sm 24.16
ARBA, hebraico: quatro ou força de Baal – Js 14.15
ARBE, hebraico: meu servo – 1Cr 6.44
ARCEU, grego: fugitivo – Gn 10.17
ARDE, hebraico: fugitivo – Nm 26.40
ARDOM, hebraico: rebento – 1Cr 2.18
ARALOTE, hebraico: monte de prepúcios – Js 5.3
AREDI, hebraico: fugitivo, ou jumenta brava – Nm 26.17
ARELI, hebraico: leão de Deus, heróico – Gn 46.10
AREÓPAGO, grego: monte de ares ou a colina de Marte – At 17.22
ARETAS, grego: virtude – 2Cr 11.32
AREUNA, hebraico: Jeová está firme – 2Sm 24.48
ARFADE, hebraico: apóio – Is 36.19

ARFAXADE, hebraico: atolado ou brotando – Gn 10.22
ARGOBE, hebraico: pedregoso ou montão de Pedra – Dt 3.4
ARIDAI, hebraico: grande, brilhante – Et 9.9
ARIDATA, persa: nascimento nobre – Et 9.8
ARIEL, latim: leão de Deus ou alto – Ed 8.16
ARIÉT, latim: leão, **hebraico:** carneiro – 2 Rs 15.25
ARIMATÉIA, forma grega de Ramã, altura dobrada **hebraico:** leão morto para o senhor – Mt 27.27
ARIOQUE, persa: servo do deus lua – Gn 14.1
ARISAI, hebraico: semelhante a um leão – Et 9.9
ARISAL, hebraico: semelhante a um leão Et 9.9
ARISTÁRCO, latim: que governa muito bem ou bom princípe – At 19.29
ARISTÓBULO, latim: que aconselha bem – Rm 16.10
ARMAGEDOM, hebraico: Monte Megido, montanha de Magedo, monte do lugar das multidões – Ap 16.16
ARMÊNIA, hebraico: terra sagrada – 2Rs 19.37
ARMONI, hebraico: nascido no palácio – 2Sm 21.8
ARNÃ, hebraico: ágil – 1Cr 3.21
ARNAN, hebraico: ligeiro, agil – 1Cr 3.21
ARNI, hebraico: homem – Lc 3.33
ARNON, hebraico: murmurando, berrando, Torrente bravadora – Nm 21.13
ARODI, hebraico: asmo, montes – Nm 26.17
AROER, hebraico: ruínas – Dt 2.36
ARPACHADE, grego: regenerador - Gn 10.24
ARPADE, hebraico: lugar de descanso – 2Rs 18.34
ARQUELAU, grego: governante do povo, chefe – Mt 2.22
ARQUIPO, latim: domador de cavalos – Cl 4.17
ARQUITA, hebraico: tolerância – 2Sm 15.32
ARSA, hebraico: terra, delícia – 1Rs 16.9
ARTAXERXES, grego ou latim: o grande rei – Ed 6.14
ARTEMIS, grego: deusa grega chamada Diana pelos romanos, deusa da luz e da caça – At 19.24
ARTEMAS, grego: presente de Artêmia – Tt 3.12
ARTURO, grego: congregação – Jo 8.31
ARUBOTE, grego: gelosias – 1Rs 4.10
ARUMA, hebraico: altura – Js 9.41
ARVADE, persa: errante – Ez 27.8

ARZA, hebraico: terra ou delicia – 1Rs 16.9
ASA, hebraico: médico ou aquele que sarará – 1 Rs 15.8
ASÃ, hebraico: fumaça ou ira de Deus – Js 15.42
ASAEL, hebraico: Deus o fez – 2Sm 2.18
ASAFE, hebraico: cobrador ou aquele que colhe – 1Cr 25.1
ASAÍAS, hebraico: Jeová fez – 2Rs 22.12
ASALIAS, hebraico: Deus tem perdoado – 2Rs 22.3
ASARADOM, persa: dom do fogo – Ed 4.2
ASARAMEL, hebraico: príncipe do povo de Deus – 1Mac 14.28
ASAREL, hebraico: Jeová limitou – 1Cr 4.16
ASAREEL, hebraico: Deus limitou – 1Cr 4.16
ASARELA, hebraico: reto com Deus – 1Cr 25.2
ASARMOTE, hebraico: aldeia da morte – 1Cr 1.20
ASASONTOMAR, hebraico: fonte do cabrito – 2Cr 20.3
ASBAÍ, hebraico: desprezo – 2Sm 23.34
ASBAL, hebraico: despojo ou belo – 1Cr 11.37
ASBÉIA, hebraico: deixa que eu seja testemunho ou casa de juramento – 1Cr 4.21
ASBEL, hebraico: homem do Senhor ou Baal – Nm 26.38
ASCALOM, hebraico: ponto de partida, emigração – Js 13.3
ASCARADOM, persa: dom do fogo – Ed 4.2
ASDODE, hebraico: lugar fortificado ou fortaleza – Js 13.3
ASDODE-PISEA, hebraico: lugar fortificado de divisão – 1Sm 5.1
ASEL, hebraico: nobre – 1Cr 8.37
ASENA, hebraico: forte, durável – Js 15.33
ASENATE, hebraico: que pertence a deusa Neith – Gn 41.45
ASER, hebraico: feliz – Gn 30.13
ASERÁ, hebraico: bosque de altura – 1Rs 15.13
ASERÁ, hebraico: forma plural masculina de Asserim – 2Rs 23.6
ASERORE, forma plural feminina de Asserim, deusa cananéia da felicidade –2Rs 23.6
ASFENÁZ, persa: veloz, focinho de cavalo – Dn 1.3
ÁSIA, nome do continente a leste da Europa, lamacento, pantanoso – At. 6.9
ASIIA, hebraico: Jeová tem perdoado – 2Cr 22.1
ASIAS, hebraico: feito por Jeová – 1Cr 4.36
ASIARCA, grego: chefe da Ásia – At 19.31
ASIEL, hebraico: Deus fez – 1Cr 4.35

ASILA, hebraico: Jeová tem perdoado – 2Cr 22.1
ASIMA, hebraico: cabra pelada – 2Rs 17.30
ASINCRITO, grego: incomparável – Rm 16.14
ASIONGABER, hebraico: espinha dorsal do homem – 2Cr 30.26
ASMAVETE, hebraico: a morte é forte - 2Sm 23.31
ASMODEU, hebraico: perder – Tb 3.8
ASMONEU, hebraico: opulento – Mc 2.1
ASNA, hebraico: espinheiro – Ed 2.50
ASNÁ, hebraico: forte – Js 15.33
ASNAPAR, persa: veloz – Ed 4.10
ASOT, hebraico: feito, o gozo do prêmio – 1Cr 7.33
ASPATA, persa: cavalo – Et 9.7
ASPENAZ, persa: focinho de cavalo – Dn 1.3
ASQUELON, persa: migração ou carvalho – Js 13.3
ASQUENÁS, persa: assim espalha fogo – Gn 10.3
ASRIEL, hebraico: promessa de Deus – Nm 26.31
ASSIMA, hebraico: cabra pelada – 2Rs 17.30
ASSIR, hebraico: cativo – 1Cr 6.22
ASSÍRIA, grega: uma modificação de Assur, planície – Gn 2.14
ASSOM, hebraico: forte – 1Cr 2.15
ASSÔS, hebraico: aproximado – At. 20.13
ASSUERO, persa: do deus Ashur ou rei leão – Et 1.2
ASSUR, persa: planície – Gn 10.22
ASSURBANIPAL, persa: veloz, ou caudilho – Ed 4.10
ASSURIM, hebraico: poderoso – Gn 25.3
ASTADE, hebraico: espinheiro – Gn 50.10
ASTAROTE, hebraico: união – 1Rs 11.5
ASTEROTE, hebraico: união – 1Rs 11.5
ASTEROTE-CARNAIN, hebraico: deusa de Carnain, o mesmo que hoba – Gn 14.5
ASUR, persa: escuridão, nobre – 1Cr 2.24
ASVATE, hebraico: belo – 1Cr 7.33
ATADE, hebraico: Espinheiro – Gn 50.10
ATACE, hebraico: hospedaria – 1Sm 30.30
ATAI, hebraico: oportuno – 1Cr 2.35
ATAÍAS, hebraico: feito oportunamente pelo Senhor – Ne 11.4
ATALÍA, hebraico: Deus aflige – 2Rs 8.26
ATÁLIA, grego: que pertence a Àtalo; **hebraico:** Jeová aflige – At 14.25

ATALO, grego: pequeno pai – 1Mac 15.22
ATANAI, hebraico: galardão o mesmo que éteni – 1Cr 6.41
ATAQUE, hebraico: alojamento, pousada – 1Sm 30.30
ATARA, hebraico: diadema – 1Cr 2.26
ATARGATIS, deusa síria – 1Mac 5.44
ATAROTE, hebraico: coroas – Nm 32.3
ATAROTE-ADAR, hebraico: coroas de Adar ou coroas de grandeza – Js 16.5
ATAROTE-SOFAR, hebraico: coroas de Sofar – Nm 32.35
ATENAS, grego: sem crescimento, ou cidade de Athene (Minerva) – At 17.21
ATENOBIOS, latim: amigo do rei – 1Mac 15.28
ATER, hebraico: fechado – Ed 2.16
ATLAI, hebraico: Jeová afligiu – Ed 10.28
ATOS DOS APÓSTOLOS, 5º livro do novo testamento, feitos ou obras que os apóstolos realizaram
ATROTE, hebraico: coroas – Nm 32.34
ATROTE-BETE-JOABE, hebraico: coroas de casa de Joabe – 1Cr 2.54
ATROTE-SOFÃ, hebraico: coroas de Sofã – Nm 32.35
AUGUSTO, latim: venerável, majestoso – Lc 2.1
AUMAI, hebraico: irmão da água, querido de Jeová – 1Cr 4.2
AUSATE, hebraico: possessão – Gn 26.26
AUZAM, hebraico: a sua possessão – 1Cr 4.2
AUZÃO, hebraico: possessão – 1Cr 4.2
AUZATE, hebraico: possessão – Gn 26.26
ÁVA, hebraico: religião, virando – 2Rs 17.24
AVEM, hebraico: vácuo, nonada, ídolo – Ez 30.17
AVEN, hebraico: vaidade – Ex 30.17
AVIM, hebraico: males acumulados ou aldeões – Dt 2.23
AVITE, hebraico: ruínas, iniquidade – Gn 36.35
AZÃ, hebraico: forte, minha força – Nm 34.26
AZACA, hebraico: cercado – 1Sm 17.1
AZAL, hebraico: declínio, separado ou nobre – Zc 14.5
AZALIAS, hebraico: Jeová pôs de parte – 2Rs 22.3
AZANATE, hebraico: dedicado ao Senhor – Gn 41.45
AZANIAS, hebraico: Deus ouviu – Ne 10.9
AZANOTE-TABOR, hebraico: desfiladeiro de Tabor – Js 19.34
AZAREL, hebraico: Deus ajudou – 1Cr 27.22

AZAREEL, hebraico: Jeová ajudou – 1Cr 12.6
AZARIAS, hebraico: a quem Jeová ajudou – 2Rs 15.1
AZAZ, hebraico: forte – 1Cr 5.8
AZAZEL, hebraico: demitido – Lv 16.8
AZAZIAS, hebraico: a quem Jeová fortalece – 1Cr 15.21
AZBUQUE, hebraico: perdão – Ne 3.16
AZECA, hebraico: campo cavado com enxada – Js 15.35
AZEL, hebraico: nobre – 1Cr 8.37
AZEM, hebraico: fortaleza, osso – Js 15.29
AZENATE, hebraico: dedicado ao Senhor – Gn 41.45
AZGADE, hebraico: bem afortunado, ou é forte o deus Gade – Ed 2.12
AZI, hebraico: minha força – Ne 11.22
AZIEL, hebraico: Deus é poder – 1Cr 15.20
AZIZA, hebraico: robusto – Ed 10.27
AZMAVETE, hebraico: a morte é valente – 2Sm 23.31
AZMOM, hebraico: forte – Nm 34.4
AZMOTE, hebraico: desfiladeiro – Js 19.34
AZMOTE-TABOR, hebraico: desfiladeiro de Tabor – Js 19.34
AZOR, grego: auxílio, ou auxiliador – Mt 1.13
AZORAQUE, hebraico: açoite, chicote – Jo 2.15
AZÔTO, forma grega de Asdode, fortaleza – At 8.40
AZRIAL, hebraico: auxiliador ou auxílio de Deus – 1Cr 5.24
AZRIÇÃ, hebraico: auxílio contra o inimigo – 1Cr 3.23
AZRIÇÃO, hebraico: auxílio contra o inimigo – 1Cr 3.23
AZRIEL, hebraico: auxílio de Deus – 1Cr 27.19
AZUBA, hebraico: desolado – 1Cr 2.19
AZUR, hebraico: proveitoso ou auxiliador – Jr 28.1

B

BAAL, hebraico: senhor possuidor – 1Cr 4.33
BAAL-BER, hebraico: possuidor de um poço – 1Cr 4.33
BAAL-BERITE, hebraico: possuidor de um pacto, aliança – Jz 8.33
BAAL-FARASIM, hebraico: senhor de Faresim 1cr 14.12
BAAL-GADE, hebraico: senhor da fortuna – Js 11.17
BAAL-HAMOM, hebraico: senhor da multidão – Ct 8.11
BAAL-HANÃ, hebraico: senhor de gentileza, gracioso – Gn 36.38
BAAL-HAZOR, hebraico: senhor de aldeia – 2Sm 13.23
BAAL-HERMOM, hebraico: senhor do Hermom – Jz 3.3
BAAL-MEOM, hebraico: senhor de Meom – Nm 32.38
BAAL-PEOR, hebraico: senhor de Peor – Nm 25.3
BAAL-PERAZIM, hebraico: senhor de Perazim, ou das brotas – 2Sm 5.20
BAAL-SALISA, hebraico: senhor de Salisa – 2Rs 4.42
BAAL-TAMAR, hebraico: senhor de palma – Jz 20.33
BAAL-ZEBU, hebraico: senhor da mosca – 2Rs 1.6
BAAL, ZEBUBE, hebraico: senhor da mosca – 2Rs 1.6
BAAL-ZEFOM, hebraico: senhor de Zefom, ou da vigilância, Êx 14.1
BAALÁ, hebraico: senhora – Js 15.9
BAALATE, hebraico: senhora – Js 19.8
BAALATE-BEER, hebraico: possuidor de um poço – Js 19.8
BAALI, hebraico: meu senhor – Os 2.16
BAALIADA, hebraico: o senhor conhece – 1Cr 14.7
BAALINS, plural de Baal – 1Sm 7.4
BAANÁ, hebraico: filho de aflição – 2Sm 4.2
BAARA, hebraico: estupidez – 1Cr 8.8
BAASA, hebraico: mal, perversidade – 1Rs 15.27

BAASÉIAS, hebraico: obra de Jeová – 1Cr 6.40
BABEL, grego: porta de Deus, **hebraico:** confusão – Gn 11.9
BABILÔNIA, grego: porta de Deus, **hebraico:** confusão, mistura – Ap 14.8, Jr 50.10
BACA, hebraico: vale de pranto – Sl 84.6
BACBACAR, hebraico: procura diligente – 1Cr 9.15
BACBUQUE, hebraico: frasco – Ne 7.53
BACBUQUIAS, hebraico: Jeová torna vazio – Ne 11.17
BADABE, hebraico: separação – Gn 36.35
BAENA, hebraico: filho de aflição – 2Sm 4.2
BAJITE, hebraico: casa ou templo de Baal – Is 15.2
BAL, hebraico: senhor – Jz 6.28
BALÁ, hebraico: timidez ou medo – Gn 29.29
BALAÃO, hebraico: devorador ou destruidor do povo – Dt 23.4
BALADÃ, hebraico: ele deu um filho – 2Rs 20.12
BALADÃO, hebraico: ele deu um filho – 2Rs 20.12
BALÃO, hebraico: devorador – Dt. 23.4
BALAQUE, hebraico: devastador, gastando – Nm 22.10
BALOTE, hebraico: que produz leite – 1 Rs 4.16
BALTAZAR, assirio: amigo do rei ou o que proteje o rei
BAMA, hebraico: lugar alto – Ez 20.29
BAMOTE, hebraico: lugares altos – Nm 21.19
BAMOTE-BAAL, hebraico: lugar alto de Baal – Nm 21.19
BANCA, hebraico: saídas (das águas) – 1Cr 8.37
BANI, hebraico: edificado ou posteridade – 2Sm 23.26 e Ne 8.7
BAQUEBACAR, hebraico: procura diligente – 1Cr 9.15
BAQUEBUQUE, hebraico: frasco – Ne 7.53
BAQUEBUQUIAS, hebraico: fraco ou Jeová torna vazio – Ne 11.17
BAR, aramaico: filho (I), prefixo de nomes de pessoas
BAR-JESUS, grego: filho de Jesus ou Josué – At 13.6
BAR-JONAS, grego: filho de Jonas – Mt 16.17
BARAQUE, hebraico: relâmpago – Jz 4.6
BARAQUEL, hebraico: abençoado por Deus – Jó 32.2
BARAQUIAS, hebraico: Jeová abençoou – Mt 23.35
BARCOS, hebraico: pintor, filho que segue o pai – Ed 2.53
BARIÁ, hebraico: fugitivo – 1Cr 3.22
BARNABÉ, aramaico: filho de consolação – At. 4.36
BARRABÁS, grego: filho de rabi – Mt 27.16

BARSABÁS, aramaico: filho de Sabá, ou filho da exaltação – At 1.23, At 15.22

BARTIMEU, aramaico: filho de Timeu, filho honroso – Mc 10.46

BARTOLOMEU, aramaico: filho de Tolmai ou Timeu ou filho que levante as águas – Mt 10.3

BARUC, hebraico: abençoado – Ba 1.1

BARUQUE, hebraico: abençoado – Jr 32.12

BARZILAI, hebraico: feito de ferro ou ferro do Senhor – 2Sm 19.31

BASÃ, hebraico: terra fértil – Dt 3.4

BASA-HANOTE-JAIR, hebraico: nome da terra de Jair – Dt 3.14

BASAIAS, hebraico: obra do Senhor – 1Cr 6.40

BASEMATE, hebraico: fragância, cheiro agradável – Gn 26.34

BASIA, hebraico: obra de Jeová – 1Cr 6.40

BASLITE, hebraico: nudeza – Ne 7.54

BASMATE, hebraico: fagrância, cheiro agradável

BATE-SEBA, hebraico: filho do juramento, ou sétima filha – 2Sm 11.3

BATE-SUA, hebraico: filha da opulência ou filha sua – Gn 38.2, 1Cr 3.5

BAUL, hebraico: pela misericórdia de Deus – Ne 3.18

BAURIM, hebraico: vila de jovens – 2Sm 16.5

BAZLUTE, hebraico: nudeza – Ed 2.52

BAVAI, hebraico: pela misericordia **de Deus – Ne 3.18**

BAVAL, hebraico: pela misericórdia de Deus – Ne 3.18

BEALIAS, hebraico: Jeová é Senhor – 1 Cr 12.5

BEALOTE, hebraico: senhora ou senhoras possuidoras – Js 15.24

BEBAI, hebraico: pai – Ed 8.11

BECA, hebraico: metade – Êx 38.26

BECOR, hebraico: camelo novo – Gn 46.21

BECORATE, hebraico: primogenitura – 1Sm 9.1

BEDÃ, hebraico: filho de Dã ou filho de juizo – 1Cr 7.17

BEDADE, hebraico: sozinho – Gn 36.35

BEDEIAS, hebraico: servo de Jeová – Ed 10.35

BEDIAS, hebraico: servo de **Jeová – Ed 10.35**

BEELIADA, hebraico: conhecido de Baal, o senhor tem conhecido – 1 Cr 14.7

BEEMOTE, hebraico: cavalo do rio, ou hipopotamo – Jó 40.15

BEER, hebraico: poço – Nm 21.16

BEER-ELIM, hebraico: poço de Elim, ou poço dos heróis – Is 15.8

BEER-LAAI-ROI, hebraico: poço daquele que me vê ou vive – Gn 16.14

BEERA, hebraico: poço – 1Cr 5.6

BEERI, hebraico: meu poço – Gn 26.34

BEEROTE, hebraico: poços – 2Sm 4.2

BEEROTE-BENE-JAÇÁ, hebraico: poços dos filhos de Jaça – Dt 10.6

BEESTRÁ, hebraico: templo ou casa de Astarate – Js 21.27

BEESTERA, hebraico: templo ou casa de Astarate – Js 21.27

BEL, hebraico: senhor – Is 46.1

BELÁ, hebraico: destruição – Gn 36.32

BELÉM, hebraico: Casa de pão – Gn 35.19

BELGA, hebraico: prazenteiro – IIMac 3.4

BELIAL, hebraico: indignidade, perversidade, senhor da morte – Dt 13.13

BELMA, hebraico: ilustre – Jt 7.3

BELSAZAR, babilônico: Bel protege o rei – Dn 5.1

BELTESSAZAR, babilônico: Bel ou Belatsu-sur protege sua vida – Dn 1.7

BELZEBU, hebraico: senhor da mosca – Lc 11.15

BEM-AVENTURADO, hebraico: feliz – Sl 32.1

BEM-HAMAM, hebraico: compassivo – 1Cr 3.23

BEMOTE, hebraico: animal monstruoso ou hipopotamo – Jo 40.15

BEN, hebraico: filho – 1Cr 15.18

BEM-AMI, hebraico: filho do meu povo – Gn 19.38

BEN-DEQUER, hebraico: filho de Dequer, ou furo – Ne 8.6, 1Rs 4.9

BEN-DEZER, hebraico: filho de Dezer – 1Rs 4.9

BEN-HADADE, hebraico: filho de Hadade – 1Rs 15.18

BEN-HANÃ, hebraico: filho bondoso – 1Cr 4.20

BEN-HESEDE, hebraico: filho da piedade – 1Rs 4.10

BEN-HUR, hebraico: filho de Hur – 1Rs 4.8

BEN-ZOETE, hebraico: filho de Zoete – 1Cr 4.20

BENADINADABE, hebraico: filho de Abinadabe – 1Rs 4.11

BENAIS, hebraico: Jeová edificou, virtuoso – 2Sm 23.20

BENANÃ, hebraico: compassivo – 1Cr 3.20

BENCAIL, hebraico: filho da fortaleza – 2Cr 17.7
BENDITO, hebraico: abençoado – Gn 12.3
BENE, hebraico: filho – 1Cr 15.18
BENE-ABINADABE, hebraico: filho de Abinadabe – 1Rs 4.11
BENE-BERAQUE, hebraico: filho de Beraque – Js 19.45
BENE-GEBER, hebraico: filho de Geber – 1 Rs 4.13
BENE-GEDER, hebraico: filho de um herói – 1Rs 4.13
BENE-HADADE, hebraico: filho de Hadade, supremo Deus da Síria - 1Rs 15.18
BENE-HAIL, hebraico: filho de força – 2Cr 17.7
BENE-HANÃ, hebraico: filho da graça – 1Cr 4.20
BENE-JASEM, hebraico: filho admirável, ou dormindo – 2Sm 23.32
BENE-HESEDE, hebraico: filho de benevolência – 1Rs 4.10
BENE-JAACÃ, hebraico: filhos de inteligência ou da necessidade – Nm 33.31
BENE-JACAM, hebraico: filho da necessidade – Nm 33.31
BENE-ZOETE, hebraico: filho de Zoete – 1Cr 4.20
BENEDITO, hebraico: abençoado – Gn 12.3
BENESEDE, hebraico: filho de benevolência ou Hesede – 1Rs 4.10
BENGEBER, hebraico: poço de Geber – 1Rs 4.13
BENINON, hebraico: lamentação – Ne 3.18
BENINU, hebraico: nosso filho – Ne 10.13
BENJAMIM, hebraico: filho da minha mão direita, filho da felicidade ou filho da destra – Gn 35.24
BENO, hebraico: seu filho – 1Cr 24.26
BENÔNI, hebraico: filho da minha tristeza ou tribulação – Gn 35.18
BENUI, hebraico: pela misericordia de Deus – 2Cr 28.3
BENZOETE, hebraico: filho de Zoete, corpulento – 1Cr 4.20
BEOM, hebraico: casa de habitação – Nm 32.3
BEOR, hebraico: facho – Gn 36.32
BEQUEL, hebraico: camelo novo – Gn 46.21
BEQUER, hebraico: primogênito ou camelo novo – Gn 46.21
BERA, hebraico: poço, excelência, dom – 1Cr 5.6
BERACA, hebraico: benção – 1Cr 12.3
BERAÍAS, hebraico: Jeová criou – 1Cr 8.21
BEREDE, hebraico: saraiva – 1Cr 7.20

BERÉIA, grego: pesado – At 17.10
BERENICE, grego: vitoriosa, portadora da vitória – At 25.13
BEREQUIAS, hebraico: Jeová abençoa ou abençoou – 1Cr 6.39
BERI, hebraico: homem de um poço – 1Cr 7.36
BERIA, hebraico: grito de dor – Gn 46.17
BERIAS, hebraico: dom – 1Cr 7.23
BERITE, hebraico: poço de Deus – 1Cr 7.36
BERODAQUE-BALADÃ, persa: Merodaque deu um filho – 2Rs 20.12
BEROTA, hebraico: poços – Ez 47.16
BEROTAI, hebraico: poços do Senhor – 2Sm 8.8; Ez 47.16
BERSEBA, hebraico: poço de juramento ou poço dos sete – 2Sm 17.11
BESAI, hebraico: pisado pelo Senhor – Ed 2.49
BESEQUE, hebraico: relâmpago – Jz 1.4
BESODEIAS, hebraico: no concílio do Senhor – Ne 3.6
BESODIAS, hebraico: famíliar de Jeová – Ne 3.6
BESOR, hebraico: frialdade – 1Sm 30.9
BETÃ, hebraico: confiança – 2Sm 8.8
BETACAREM, hebraico: casa da vinha – Jr 6.1
BETACARÃO, hebraico: casa da vinha – Jr 6.1
BETANÁ, hebraico: lugar alto – 1Rs 4.9
BETÂNIA, hebraico: casa de Tâmaras ou casa do aflito – Jo 11.18
BETARAM, hebraico: casa do alto – Js 13.27
BETAVEM, hebraico: casa da vaidade - Js 7.2
BETE, hebraico: casa – Sl 119.9
BETE-ACAREM, hebraico: casa da vinha –·Jr 6.1
BETE-ANATE, hebraico: casa de Anate – Js 19.38
BETE-ARABÁ, hebraico: casa do deserto – Js 15.6
BETE-ANOTE, hebraico: templo ou casa de Anote – Js 15.59
BETE-ARÃ, hebraico: lugar alto, casa do alto – Js 13.27
BETE-ARABIM, hebraico: casa da multidão – Ct 7.4
BETE-ARBEL, hebraico: casa de emboscada ou casa da silada de Deus – Os 10.14
BETE-ASBÉIA, hebraico: casa que eu seja testemunha – 1Cr 4.21
BETE-AVEM, hebraico: casa do nada, ou idolatria – Js 7.2
BETE-AZMAVETE, hebraico: casa da morte valente – Ne 7.28

BETE-BAAL-MEOM, hebraico: casa do senhor Meom – Js 13.17

BETE-BARA, hebraico: casa do Vaú, lugar deserto – Jz 7.24

BETE-BASI, hebraico: casa de Basi – 1Mac 9.62

BETE-BATA, hebraico: casa de confiança – 1Sm 8.8

BETE-BERA, hebraico: lugar do deserto ou casa do vau – Jz 7.24

BETE-BERI, hebraico: casa da minha criação ou casa do vau – 1Cr 4.31

BETE-BIRAI, hebraico: lugar da cidade, casa criada por Deus – 1Cr 4.31

BETE-CAR, hebraico: casa de pasto – 1Sm 7.11

BETE-DAGOM, hebraico: casa de Dagom – Js 19.27

BETE-DIBLATAIM, hebraico: casa da pasta de figo – Jr 48.22

BETE-ÉDEM, hebraico: casa do prazer – Am 1.5

BETE-EMEQUE, hebraico: casa do vale – Js 19.27

BETE-EQUEDE, hebraico: casa de Equede ou casa do vale – 2Rs 10.12

BETE-EZEL, hebraico: casa ao lado ou casa da proximidade – Mq 1.11

BETE-GADER, hebraico: casa do muro – 1Cr 2.51

BETE-GAMUL, hebraico: casa dos camelos – Jr 48.23

BETE-GAMUR, hebraico: casa de perfeição ou casa dos camelos - Jr 48.23

BETE-HACA-CHEREM, hebraico: casa da vinha – Ne 3.14

BETE-HANÃ, hebraico: casa de Hanã – 1Rs 4.9

BETE-HARÃ, hebraico: lugar alto – Nm 32.36

BETE-HARAQUEM, hebraico: casa da vinha – Jr 6.1

BETE-HARAQUEZEM, hebraico: casa da vinha – Jr 6.1

BETE-HOGLA, hebraico: casa de perdiz – Js 15.6

BETE-HOROM, hebraico: casa da abertura – Js 16.3

BETE-JESIMOTE, hebraico: casa das devastações – Nm 33.49

BETE-LE-AFRA, hebraico: casa do pó – Mq 1.10

BETE-LEBAOTE, hebraico: casa da leoa – Js 19.6

BETE-MAACA, hebraico: prado da casa de Maaca – 2Sm 20.15

BETE-MARCABOTE, hebraico: casa de carros ou carroças – Js 19.5

BETE-MELO, hebraico: casa de Melo ou Semeate – 2Rs 12.21

BETE-MEMRÃ, hebraico: caso do leopardo – Js 13.27

BETE-MEOM, hebraico: casa de habitação – Jr 48.23

BETE-MERAQUE, hebraico: casa de retirada – 2Sm 5.17

BETE-MILO, hebraico: casa de Milo – Jz 9.6
BETE-NIMRÃ, hebraico: casa da água fresca ou cristalina – Nm 32.36
BETE-PAZES, hebraico: casa de dispersão – Js 19.21
BETE-PELETE, hebraico: casa de fuga – Js 15.27
BETE-PEOR, hebraico: casa de Peor – Dt 3.29
BETE-QUEREM, hebraico: casa de Querem ou casa de vinha – Ne 3.14
BETE-RABIM, hebraico: casa da multidão – Ct 7.4
BETE-RAFÁ, hebraico: casa de Rafá ou casa de um gigante – 1Cr 4.12
BETE-RECOBE, hebraico: casa ou lugar de largueza – 2Sm 10.6
BETE-REOBE, hebraico: casa de uma rua – Jz 18.28
BETE-SÃ, hebraico: casa de descanso ou casa de tranquilo descanso – Js 17.11
BETE-SEMIS, hebraico: casa do sol – Js 21.16
BETE-SEÃ, hebraico: casa de sossego ou casa de descanso – Js 17.11
BETE-SEBA, hebraico: filha de juramento – 2Sm 11.3
BETE-SEMES, hebraico: casa do sol – Jr 21.16
BETE-SITA, hebraico: casa da acácia – Jz 7.22
BETE-TAPUÁ, hebraico: casa de maçãs – Js 15.53
BETE-ZEFOM, hebraico: casa do desejo, ou Zefem – Nm 26.15
BETE-ZUR, hebraico: casa de pedra – Js 15.58
BETEL, hebraico: casa de Deus – Gn 12.8
BETEN, hebraico: vale, barriga – Js 19.25
BETER, hebraico: separação – Ct 2.17
BETESAIDA, hebraico: casa de comida ou frutas – Jo 1.44
BETESDA, hebraico: lugar de misericórdia ou casa de misericórdia – Jo 5.2
BETEZEL, hebraico: lugar de proximidade – Mq 1.11
BETFAGÉ, grego: casa de figos verdes – Mt 21.1
BETIA, hebraico: filha de Jeová – 1Cr 4.18
BETIAS, hebraico: filha do Senhor 1Cr 4.18
BETONIM, hebraico: nozes de pistácia – Js 13.26
BETOROM, hebraico: casa da abertura – Js 16.3
BETSAIDA, grego, hebraico: casa de pesca – Mt 11.21
BETSABÉIA, hebraico: filha de juramento – 2Sm 11.3
BETSEBA, hebraico: filha do juramento – 2Sm 11.3

BETSUR, hebraico: casa de pedra – 1Mac 6.49
BETUEL, hebraico: homem de Deus – Gn 22.23
BETUL, hebraico: virgem, separado – Js 19.4
BEULÁ, hebraico: casado – Is 62.4
BEZAI, hebraico: espada – Ed 2.17
BEZAL, hebraico: alto, brilhante – Ed 2.17
BEZALEL, hebraico: na sombra de Deus – Êx 31.1
BEZEQUE, hebraico: relâmpago ou disseminação – 1Sm 11.8
BEZER, hebraico: fortaleza – Js 20.8
BÍBLIA, grego: os livros
BICRI, hebraico: jovem – 2Sm 20.1
BIDCAR, hebraico: filho do esforço – 2Rs 9.25
BIGTÁ, hebraico: jardineiro – Et 1.10
BIGTÃ, persa: dom da fortuna - Et 1.10
BIGVAI, hebraico: alegre – Ed 2.14
BIGVAL, hebraico: jardineiro – Ed 2.2
BILA, hebraico: modéstia – Gn 29.29
BILÃ, hebraico: modéstia – Gn 36.27
BILDADE, hebraico: Bel amou ou filho da contenda – Jo 2.11
BILEÃ, hebraico: ardor – 1Cr 6.70
BILEÃO, hebraico: ardor, ou destruição – 1Cr 6.70
BILGÁ, hebraico: regozijo – 1Cr 24.14
BILGÃ, hebraico: prazenteiro - Ne 10.8
BILGAI, persa: prazenteiro – Ne 10.8
BILHA, hebraico: timidez ou medo – Gn 29.29
BILHÃ, hebraico: vergonhoso – Gn 36.27
BILSÃ, hebraico: filho de língua eloqüente – Ed 2.2
BIMAIL, hebraico: circuncidado ou filho da mistura – 1Cr 7.33
BIMAL, hebraico: circuncidado – 1Cr 7.33
BINA, hebraico: filho de mistura – 1Cr 8.37
BINCA, hebraico: saidas das águas – 1Cr 8.37
BINEÃ, hebraico: filho de mistura – 1Cr 8.37
BINUI, hebraico: edifício - Ed 8.33
BIRCHA, hebraico: filho de maldade ou forte – Gn 14.2
BIRSA, hebraico: filho da perversidade - Gn 14.2
BIRZAVITE, hebraico: aberturas – 1Cr 7.31
BISLÃO, hebraico: filho da paz - Ed 4.17
BISPO, hebraico: vigilante, vigia, superintendente – 1Tm 3.2

BITIAS, hebraico: filho do senhor – 1Cr 4.18
BITÍNIA, latim: violenta precipitação – At 16.7
BITROM, hebraico: corte, divisão ou garganta – 2Sm 2.29
BIZIOTÉIA, hebraico: desprezo de Jeová – Js 15.28
BIZIOTIÁ, hebraico: desprezo de Jeová – Js 15.28
BIZTA, hebraico: infrutífero ou eunuco – Ed 1.10
BLASTO, grego: rebento; **hebraico:** frutífero - At 12.20
BOÃ, hebraico: polegar – Js 15.6
BOANERGES, hebraico: filho do trovão – Mc 3.17
BOAZ, hebraico: força, ou nele há força – Rt 4.1
BOAZES, hebraico: brilhante – 1Sm 14.4
BOCIAU, hebraico: provado por **Jeová** – 1Cr 25.4
BOCOR, hebraico: camelo novo – Gn 46.21
BOCRU, hebraico: primogênito – 1Cr 8.28
BONS PORTOS, grego: um porto de Creta, de fácil atracadouro – At 27.8
BOQUIM, hebraico: pranteadores – Jz 2.1-5
BOSES, hebraico: brilhante – 1Sm 14.4
BOSOR, hebraico: consumindo – 2Ped 2.15
BOSORA, hebraico: curral – 1Mac 5.26
BOZCATE, hebraico: pedregoso, elevado – 2Rs 22.1
BOZEZ, hebraico: brilhante – 1Sm 14.4
BOZRA, hebraico: aprisco – Gn 36.33
BUBASTA, hebraico: porção da esposa ou da vergonha – Ez 30.17
BUL, hebraico: multável,crescimento – 1Rs 6.38
BUNA, hebraico: prudência – 1Cr 2.25
BUNI, hebraico: edificado, construído – Ne 11.15
BUQUI, hebraico: Jeová justifica – Nm 34.22
BUQUIAS, hebraico: provado por Jeová – 1Cr 25.4
BUZ, hebraico: desprezo – Gn 22.21
BUZI, hebraico: descendente de Buz – Ez 1.3

C

CABOM, hebraico: bolo ou atadura – Js 15.40
CABUL, hebraico: sujo, ou terra árida – Js 19.27
CABULI, hebraico: sujo, terra árida – 1Rs 9.13
CABZEEL, hebraico: Deus traz junto – Jz 15.21
CADES, hebraico: consagrado – Nm 20.16
CADES-BARNÉIA, hebraico: consagrado – Js 15.3
CADMIEL, hebraico: Deus é desde todo o princípio – Ed 2.40
CADMOMEU, hebraico: orientais – Gn 15.19
CAF, 10º letra do alfabeto hebraico, macaco – Sl 119.81
CAFAR-EMONA, hebraico: aldeia dos amonitas – Js 18.24
CAFARNAUM, hebraico: aldeia de Naum ou consolação – Mt 4.13
CAFARSALAMA, hebraico: aldeia de Salém – 1Mac 7.31
CAFE, 10º letra do alfabeto hebraico, macaco – Sl 119.81
CAFENATA, hebraico: a torre que se levanta acima da casa do rei – 1Mac 12.37
CAFÍRA, hebraico: aldeia, coberta, expiação – Js 18.26
CAFTOR, hebraico: coroa ou copo – Jr 47.4
CAFTORIM, hebraico: capadócios – Gn 10.14
CAFTOS, hebraico: coroa ou copo – Am 9.7
CAIFÁS, hebraico: depressão – Jo 18.13
CAIM, hebraico: adquirido ou forjado – Gn 4.1
CAINÃ, hebraico: possuidor – Gn 5.9
CAIO, latim: alegre, ou bordão – At 19.30
CALÁ, hebraico: firmeza – Gn 10.11
CALAI, hebraico: acabado, perfeição – Ed 10.30
CALAL, hebraico: acabado, perfeição – Ed 10.30
CALANO, grego: cana – Ct 4.14
CALCOL, hebraico: sustentáculo – 1Rs 4.31
CALDÉIA, hebraico: terra dos conquistadores – 2Rs 24.2

CALDEUS, hebraico: como se fossem demônios – Gn 11.31
CALE, hebraico: firme – Gn 10.11
CALEBE, hebraico: ousada, ou gaiola – Nm 13.6
CALEBE-EFRATA, hebraico: gaiola para frutas – 1Cr 2.24
CALI, hebraico: ornamento, jóia – Js 19.25
CALITA, hebraico: congregação do Senhor – Ed 10.23
CALNÉ, hebraico: moradas fortificadas – Gn 10.10
CALNO, hebraico: moradas fortificadas – Gn 10.10, Am 6.2
CALUBE, hebraico: gaiola de pássaros – 1Cr 4.11
CALVÁRIO, hebraico: caveira – Jo 19.17
CAMPO DO OLEIRO, latim: Aceldama, Campo de sangue – Mt 27.8
CAMOM, hebraico: trigo ou lugar permanente – Jz 10.5
CAMÓS, hebraico: dominador – Nm 21.29
CAMUL, hebraico: congregação de Deus – Gn 22.21
CANÁ, hebraico: lugar de juncos ou lugar das canas – Jo 2.1
CANAÃ, hebraico: baixo, plano – Gn 36.5
CANDACE, hebraico: princípe dos serventes – At 8.27
CANÉ, hebraico: distinguido – Ez 27.23
CANTARES, nome do 5º livro de Salomão
CÃO, hebraico: pele escura ou quente – Gn 5.32
CAPADÓCIA, grego: impostor – At 2.9
CARCA, hebraico: andar – Js 1.10
CARCAS, persa: ravina, água – Et 1.10
CARCER, hebraico: chão mole, nivelado – Jz 8.10
CARCOR, hebraico: fundamento – Jz 8.10
CARÉA, hebraico: calvo – 2Rs 25.23
CARIA, hebraico: calvo – 2Rs 25.23
CARITE, hebraico: corte, garganta – 1Rs 17.3
CARMELO, hebraico: jardim ou campos fértil – Js 15.55
CARMI, hebraico: vinhateiro – Gn 46.9
CARPO, grego: fruto ou pulso – 2Tm 4.13
CARQUEMIS, persa: fortaleza de refúgio, ver também Quemos – 2Cr 35.20
CARSENA, persa: presa de guerra, salteador – Et 1.14
CARTÃ, hebraico: cidade gêmeas – Js 21.32
CARVALHO, hebraico: terebinto de cor forte – Gn 35.4
CASA DE JURAMENTO, latim: deixa que eu seja testemunha – 1Cr 4.21

CASAIAS, hebraico: canela – Jó 42.14

CASEDE, hebraico: aumento de prosperidade – Gn 22.22

CASERIM, hebraico: região montanhosa – Tb 1.1

CASFEU, hebraico: confiança, ousadia – 1Mac 1.54

CASFIA, hebraico: prata do Senhor – Ed 8.17

CASIA, hebraico: canela – Jó 42.14

CASILIA, hebraico: prata do Senhor – Ed 8.7

CASLEIUM, hebraico: fortificador – Gn 10.14

CASLUIM, hebraico: fortificado – Gn 10.14

CASSIA, hebraico: canela, **latim:** irmã dos fortes e valentes – Jó 42.14

CASTOR, grego: astro, constelação boreal ou deus estrela – At 28.11

CATÃ, hebraico: cidade dupla – Ed 8.12

CATATE, hebraico: pequeno – Js 19.15

CEDAR, hebraico: homem moreno ou poderoso – Gn 25.13

CEDEMOT, hebraico: princípios antigos, ou lugares orientais – Js 15.23

CEDES, hebraico: santuário – Js 15.23

CEDMA, hebraico: para o oriente – Gn 25.15

CEDMIEL, hebraico: eternidade de Deus – Ne 7.43

CEDROM, hebraico: escuro, turvado – 2Sm 15.23

CEFAS, aramaico: rocha ou pedra – Jo 1.42

CEFIRA, hebraico: aldeia ou vila – Js 9.17

CEILA, hebraico: fortaleza – Js 15.44

CELAL, hebraico: pouco estimado – Ne 12.20

CELITA, hebraico: congregação do Senhor – Ed 10.23

CELON, hebraico: em paz – Jt 2.13

CENCRÉIA, grego: milhete – At 18.18

CENIDO, hebraico: urtiga – At 27.7

CENOPÉGICA, hebraico: festa das luzes, ou da purificação – 1Mac 1.9

CÉSAR, latim: cabeludo, talhado – Mc 12.14

CÉSAR AUGUSTO, latim: são títulos dos reis de Roma – Lc 2.1

CESARÉIA, latim: cabeluda, porção construída por César – At 10.1

CESARÉIA DE FELIPO e da PALESTINA, latim: cidade dos Césares – Mt 16.13

CETIM, hebraico: vencedores – 1Cr 1.7

CHAAGAZ, persa: servo de belo – Et 2.13

CHAFENATA, hebraico: a torre que se levanta acima da casa do rei – 1Mac 12.32

CETUES, hebraico: adoração – 1Mac 8.5

CESIL, hebraico: gordo, tolo – Js 19.12

CHEOL, hebraico: mundos dos mortos – Gn 37.25

CHIBOLETE, hebraico: rio corrente – Jz 12.6

CHIPRE, grego: lindo – Is 23.1

CILÍCIA, grego: que vira – At 15.23

CIRENE, hebraico: parede, **grego:** nascente, o manancial – At 2.10

CIRÊNIO, grego: natural de Cirene – Mc 15.21 e At. 2.10

CIRO, persa: poder supremo – Dn 6.28

CIS, hebraico: laços de passarinhos ou arco, poder – 1Cr 9.36

CLAUDA, latim: voz quebrada – At 27.16

CLAUDIA, latim: coxa – At 11.28, 2Tm 4.21

CLAUDIO, latim: coxo – At 11.28, 2Tm 4.21

CLAUDIO-LÍSIAS, latim: coxo de Lisias – At 23.26

CLEMENTE, grego: benigno, misericordioso – Fl 4.3

CLÉOPAS, grego: a glória inteira – Lc 24.18

CLEÓPATRA, grego: glória do pai – Gn 10.57

CLÓE, grego: 1º rebento das ervas – 1Co 1.11

CLÓPAS, grego: glória inteira – Js 19.25

CNIDO, grego: urtiga ou dedicadora venus – At 27.7

CÔA, hebraico: garanhão – Ez 23.23

COATE, hebraico: assembléia – Gn 46.11

COBAR, hebraico: abundantemente – Ez 1.1

COFE, hebraico: 1ª letra do alfabeto hebraico, macaco – Sl 119.81

COLAÍAS, hebraico: a voz do Senhor – Ne 11.7

COLHOZE, hebraico: que vê tudo – Ne 3.15

COLOSSENSES, grego: epístolas de Paulo para os irmãos de Colossos

COLOSSOS, grego: castigo, correção – Cl 1.2

CONANIAS, hebraico: Jeová estabeleceu – 2Cr 31.12

CONSOLADOR, grego: advogado ou o que consola – Jo 14.26

CORA, hebraico: calva – Gn 36.5

CORAZIM, hebraico: segredo, mistério – Mt 11.21

CORBÃ, hebraico: oferta – Mc 7.11

CORÉ, hebraico: gelo, calva – Gn 36.5
CORÍNTIO, grego: estimo, adorno – At 18.1
CORINTIOS, grego: carta de Paulo aos habitantes de Corinto
CORNÉLIO, latim: duro como chifre, piedoso – At 10.1
CORO, hebraico: uma medida de capacidade de 370 mts – Ez 45.14
CÓS, hebraico: espinho – Ed 2.61
COSÁ, hebraico: espinho – Lc 3.28
COSÃO, hebraico: espinho – Lc 3.28
COSBI, hebraico: mentiroso, embusteiro, enganador – Nm 25.15
CÔZ, hebraico: espinho – 1Cr 4.8
COZEBA, hebraico: mentira – 1Cr 4.22
CRESCENTE, grego: que cresce ou aumentado – 2Tm 4.10
CRETA, grego: canal – At 27.7
CRISÓPRASO, grego: pedra de ouro – Ap 21.20
CRISPO, latim: crespo no cabelo – At 18.8
CRISTO, hebraico: Messias; **grego:** ungido – Mt 16.16
CRÔNICAS, hebraico: coisas esquecidas ou narração de fator
CUASIAS, o mesmo que Quisi; **hebraico:** dom de Deus – 1Cr 15.17
CUBE, hebraico: frutífero – Ez 30.5
CUCHE, hebraico: preto – Jr 36.14
CUM, cidade de Haderezer rei da Síria, significado ignorado talvez comando (?) – 1Cr 18.8
CUS, hebraico: trevas queimadura – Gn 2.17
CUSÃ, hebraico: malicioso – Hc 3.7
CUSÃ-RESATAIM, hebraico: duplamente malicioso – Jz 3.8
CUSE, hebraico: preto – Gn 2.17
CUSI, hebraico: preto – Jr 36.14
CUTÃ, hebraico: preto – 2Rs 17.24
CUXE, hebraico: preto – Gn 10.6
CUZA, hebraico: profeta, vidente – Lc 8.3

D

DÃ, hebraico: juiz, julgamento – Gn 46.23
DADÃ, hebraico: inclinado – Gn 10.7
DÃ-JAÃ, hebraico: juiz de bosque – 2Sm 24.6
DABERATE, hebraico: terra de pastagem – Js 19.12
DABIR, hebraico: um oráculo – Js 10.38
DABRI, hebraico: promessa, eloqüente – Lv 24.11
DAFNÉ, grego: louro – 2Mac 4.33
DAGOM, hebraico: peixe honrado – 1Sm 5.2
DAHI, hebraico: promessa, eloqüente – Lc 24.11
DALAIAS, hebraico: Jeová planejou – 1Cr 3.24
DALETE, 4ª letra do alfabeto hebraico – Sl 119.25
DALFOM, hebraico: esforçado – Et 9.7
DALILA, hebraico: delicada, fraca – Jz 16.4
DALMÁCIA, grego: enganoso ou lampâda vãs – 2Tm 4.10
DALMANUTA, hebraico: um balde, magreza – Mc 8.10
DALMATIA, grego: enganoso – 2Tm 2.10
DAMARÍS, grego: esposa ou mulher pequena – At 17.34
DAMASCO, hebraico: cidade de cão – Gn 14.15
DAMIM, hebraico: fim do sangue (uvas) – 1Cr 11.13
DANÁ, hebraico: terra baixa – Js 15.49
DANABÁ, hebraico: ela pronunciou julgamento – Gn 36.32
DANIEL, hebraico: Deus é meu juiz – 1Cr 3.1
DARA, hebraico: pérola da sabedoria ou coração de sabedoria – 1Cr 2.6
DARCOM, hebraico: espalhador – Ed 2.56
DARDA, hebraico: pérola da sabedoria – 1Cr 2.6
DÁRIO, persa: Dozenda dara, **hebraico:** dono, senhor, **grego:** o poderoso, rico – Dn 5.31
DATÃ, hebraico: de uma fonte, fim desejado ardentemente – Nm 16.1

DAVI, hebraico: amado – 1Sm 16.13

DEBLAIM, hebraico: bolos – Os 1.3

DEBIR, hebraico: um oráculo – Js 10.3

DÉBORA, hebraico: abelha – Gn 35.8

DÉCAPOLIS, grego: dez cidades – Mt 4.25

DECAR, hebraico: filho – 1Rs 4.9

DECLA, palmeira – Gn 10.27

DEDÃ, hebraico: inclinado – Gn 10.7

DEHI, hebraico: promessa eloqüente – Lv 24.11

DELAÍAS, hebraico: Jeová planejou – 1Cr 3.24

DELEÃ, hebraico: campo de pepinos – Jz 15.38

DELFON, hebraico: esforçado – Ed 9.7

DELFOS, hebraico: esforçado – Et 9.7

DELOS, grego: visível – 1Mac 15.22

DEMAS, grego: uma abreviatura de Demetrio, popular – Cl 4.14

DEMÉTRIO, grego: que pertence a deusa Demeter – At 19.24

DENABÁ, hebraico: ela pronunciou julgamento – Gn 36.32

DERBE, latim: um aguilhão – At 14.20

DEUEL, hebraico: invocação de Deus – Nm 1.14

DEUS, hebraico: Eloim, El, Jeová e outros – Gn 1.1

DEUTERONÔMIO, grego: repetição da lei

DI-ZAABE, hebraico: abundante em ouro – Dt 1.1

DIABO, grego: caluniador – 1Pe 5.8

DIAMANTE, hebraico: galabom, **grego:** adamas, pedra preciosa indomável – Êx 28.18

DIANA, latim: nome latino da deusa Artenis, luminosa, perfeita, deusa da caça – At 19.24

DIBLÁ, hebraico: massa esférica, bolo – Ez 6.14

DIBLAIM, hebraico: bolos, gemeos ou abraço duplo – Os 1.3

DIBLATAIM, hebraico: escondido no pé de figo – Nm 33.46

DIBOM, hebraico: caminho devastado – Nm 21.30

DIBOM-GADE, hebraico: caminho devastado de Gade – Nm 21.30

DIBRI, hebraico: promessa, eloqûente – Lv 24.11

DICLÁ, hebraico: palmeira – Gn 20.27

DIDÍMO, grego: gêmeo – Jo 11.16

DIFATE, hebraico: um terror – Gn 10.3

DILA, hebraico: campo de pepinos, ou uma grande abóbora – Js 15.38

DILEÃ, hebraico: campo de pepinos, ou uma grande abóbora – Js 15.38

DIMNÁ, hebraico: monte de lixo – Nm 21.35

DIMON, hebraico: caminho devastado – Is 15.9

DIMONA, hebraico: descanso seguro – Js 15.22

DINÁ, hebraico: julgado, ou julgamento – Gn 30.21

DINABÁ, hebraico: pronunciou julgamento – Gn 36.32

DIOMÉDES, grego: claro a divindade – 1Mac 4.45

DIONÍSIO, grego: pertence a Baco – At 17.34

DIOSCÓRO, grego: filho de Jupiter – 1Mac 11.22

DIÓSCUROS, grego: navio que Paulo viajou de Malta para Regio, filho de zeus – At 28.11

DIÓTREFES, grego: nutrido por zeus, deuses da mitologia – 3Jo 9.11

DIREITA, grego: destra, gazeta – At 9.11

DISÃ, hebraico: pigarga, ave – Gn 36.21

DISOM, hebraico: antílope – 1Cr 1.38

DOC, hebraico: vigia – 1Mac 16.15

DOCUS, hebraico: vigia - 1Mac 16.15

DODÃ, hebraico: amado do Senhor – 2Cr 20.37

DODAI, hebraico: amado do Senhor – 1Cr 27.4

DODANIM, hebraico: chefes - Gn 10.4

DODAVA, hebraico: amor de Jeová, ou amado por Jeová – 2Cr 20.37

DODAVAU, hebraico: amado do Senhor – 2Cr 20.37

DODÓ, hebraico: amante – Jz 10.1

DODO DO PAI, hebraico: amado do Senhor – 1Cr 27.4

DOEGUE, hebraico: tímido, medrosa - 1Sm 21.7

DOFCA, hebraico: guiando rebanho – Nm 33.12

DOFKA, hebraico: guiando rebanho – Nm 33.12

DOGUE, hebraico: vigia – 1Mac 16.15

DONIM, hebraico: fim de sangue (uva) – 1Cr 11.13

DOR, hebraico: habitação – Js 11.2

DORA, grego: dádiva – 1Mac 15.11

DORCAS, grego: gazela, **aramaico:** Talita – At 9.36

DORDA, hebraico: pérola da sabedoria – 1Cr 2.6, 1Rs 4.31

DORGUE, hebraico: tímido – 1Sm 21.7

DOTÃ, hebraico: dois poços – Gn 37.17

DOTAIM, hebraico: dois poços – Gn 37.17

DRAGÃO, grego: enganador – Ap 12.3
DRUSILA, hebraico: regada pelo orvalho – At 24.24
DUDIA, hebraico: amado do Senhor – 1Cr 27.4
DUMÃ, hebraico: silêncio – Gn 25.14
DURA, hebraico: círculo – Dn 3.1

E

EBAL, hebraico: pedroso – Dt 11.29
ÉBANO, hebraico: madeira preta – Ez 27.15
EBEDE, hebraico: escravo – Jz 9.28
EBEDE-MELEQUE, hebraico: servo do rei – Jr 38.1
EBENÉZER, hebraico: pedra de auxílio – 1Sm 7.12
ÉBER, hebraico: região além – Gn 10.21
EBES, hebraico: brancura – Js 19.20
EBIASAFE, hebraico: pai de ajuntamento – 1Cr 6.37
EBROM, hebraico: união, aliança – Js 19.28
EBRONA, hebraico: passagem do mar – Nm 33.34
EBSÃ, hebraico: ativo – Jz 12.8
ECBATAMA, hebraico: imenso – Ed 6.2
ECETAM, hebraico: pequenez – Ed 8.12
ECLESIASTES, hebraico: pregador ou aquele que fala a assembléia
ECLESIÁSTICO, livro apócrifo
ECROM, hebraico: estirpação – Js 15.11
EDAR, hebraico: rebanho – Gn 35.21
EDE, hebraico: testemunho – Js 22.34
EDEM, hebraico: deleite, lugar de delicias – Gn 2.10
EDEMA, hebraico: solo – Js 19.36
EDNA, hebraico: cheia de graça – Tb 1.2
EDNAS, hebraico: prazer – 1Cr 12.20
EDER, hebraico: rebanho – Gn 35.21
EDISA, hebraico: murta, ou misto – 1Mac 7.40
EDOM, hebraico: vermelho – Gn 25.30
EDRAI, hebraico: forte, terra cultivada – Nm 21.33
EDREI, hebraico: fortaleza – Js 12.4
EFÁ, hebraico: trevas – Gn 25.4
EFAI, hebraico: fatigado – Jr 40.8

EFATÁ, aramaico: abra-te – Mc 7.34

EFER, hebraico: uma coça nova – Gn 25.4

EFES-DAMIM, hebraico: fim do sangue (uvas), **grego:** costa de Damim – 1Sm 17.1

ÉFESO, latim: desejável - At 18.24

EFÉSIOS, latim: (epístola) carta aos moradores de Efeso, uma vidade da Líbia

EFLAL, hebraico: judicioso – 1 Cr 2.37

ÉFODE, hebraico: coberta – Êx 28.4

EFRA, hebraico: um veado, povoação – 1Cr 4.14

EFRAIM, hebraico: fértil ou ser frutifero – Gn 41.52

EFRATA, hebraico: terra frutífera – Rt 4.11

EFROM, hebraico: pertence ao corço – Gn 23.17

EGEU, grego: venerável – Et 2.3

EGITO, grego: Aegyptus; **hebraico:** Mizrim – que liga ou oprime – 1Cr 1.8

EGLÁ, hebraico: bezerro ou rapariga – 2Sm 3.5

EGLAIM, hebraico: dois poços ou tanque – Is 15.8

EGLOM, hebraico: vitela – Jz 3.12

EL, hebraico: Deus. forte, herói – Gn 1.1

EL-BERITE, hebraico: Deus de concerto – Jz 9.46

EL-BETEL, hebraico: Deus de Betel – Gn 35.7

EL-ELOHE-ISRAEL, hebraico: Deus é Deus de Israel – Gn 33.20

ELÁ, hebraico: carvalho – Gn 36.41

ELADA, hebraico: Deus adornou – 1Cr 7.20

ELADE, hebraico: Deus continua – 1Cr 7.20-22

ELAI, grego: tocha - Jt 8.1

ELAM, hebraico: mocidade - Gn 10.22

ELANÃ, hebraico: Deus é clemente ou gracioso – 1Cr 11.26

ELÃO, hebraico: alto, mocidade – Gn 10.22

ELASA, hebraico: Deus fez – Ed 10.22

ELASAR, hebraico: o mesmo que Sinear ou Sinar – Gn 14.1

ELATE, hebraico: terebinto, fortaleza – Dt 2.8

ELCANA, hebraico: possessão de Deus ou Deus criou – Êx 6.24

ELDA, hebraico: Deus chamou ou bem amado de Deus – Gn 25.4

ELDADE, hebraico: Deus ama ou Deus amou – Nm 11.26

ELEADA, hebraico: Deus é testemunha ou a quem Deus louva – 1Cr 7.21

ELEADE, hebraico: para o alto onde Deus sobe – Nm 32.37, 1Cr 7.21

ELEAL, hebraico: para o alto onde Deus sobe – Nm 32.3

ELEALE, hebraico: para o alto onde Deus sobe – Nm 32.3

ELEASÁ, hebraico: quem Deus fez – 1Cr 2.39

ELEAZAR, hebraico: Deus ajudou, **latim:** lazarus, **grego:** Lazaros – Êx 6.23

ELEFE, hebraico: boi ou multidão – Js 18.28

ELEM, hebraico: martelo, golpe, pancada – 1Cr 7.35

ELEUTÉRIO, grego: o libertador – 1Mac 12.30

ELI, hebraico: meu Deus, **aramaico:** altura – 1Sm 4.18

ELIÃ, hebraico: Deus é nosso parente – 2Sm 23.34

ELIABA, hebraico: Deus escondeu – 2Sm 23.32

ELIABE, hebraico: Deus é pai – Nm 1.9

ELIACIM, hebraico: Deus estabeleceu – Jt 4.4

ELIADA, hebraico: Deus conhece – 2Sm 5.16

ELIADE, hebraico: Deus conhece – 2Sm 5.16

ELIÃO, hebraico: povo de Deus – 2Sm 23.34

ELIAQUIM, hebraico: Deus estabeleceu – Is 22.20

ELIAS, hebraico: cujo Deus é Jeová ou Jeová é o meu Deus –1Rs 17.1

ELIASAFE, hebraico: Deus acrescentou – Nm 1.14

ELIASIBE, hebraico: Deus restaura, que restaurou – 1Cr 24.12

ELIATA, hebraico: Deus veio – 1Cr 25.4

ELIAZAFE, hebraico: Deus acrescentou – Nm 1.14

ELICA, hebraico: Deus da congregação ou Deus rejeita – 2Sm 23.25

ELIDADE, hebraico: quem Deus ama ou amou – Nm 34.21

ELIEL, hebraico: meu Deus é Deus – 1Cr 11.46

ELIEMELEQUE, hebraico: meu Deus é rei – Rt 1.2

ELIENAI, hebraico: meus olhos estão em Jeová – 1Cr 8.20

ELIEZER, hebraico: meu Deus é auxílio – Gn 15.1

ELIFAL, hebraico: Deus é nosso juiz ou Deus julgou – 1Cr 11.35

ELIFAZ, hebraico: Deus é sua força ou Deus é forte – Gn 36.4

ELIFELETE, hebraico: Deus é livramento – 1Cr 3.8

ELIFELEU, hebraico: Deus é excelente – 1Cr 15.18

ELIM, hebraico: terebintos, palmeiras ou lugar de árvores sempre verde – Êx 15.27

ELIMAS, hebraico: sábio – At 13.8

ELIMELEQUE, hebraico: Jeová é meu rei – Rt 1.2
ELIOENA, hebraico: meus olhos estão posto em jeová – 1Cr 4.36
ELIODA, hebraico: quem conhece Deus – 2Sm 5.16
ELIOENAI, hebraico: meus olhos estão postos em Jeová – 1Cr 4.36
ELIONAI, hebraico: meus olhos estão em Jeová – 1Cr 26.3
ELIOREFE, hebraico: meu Deus é uma recompensa – 1Rs 4.3
ELISA, hebraico: murta – Gn 10.3
ELISÃ, hebraico: Deus é salvação – Gn 10.4
ELISABETE, Deus de Sete, juramento de Deus – Êx 6.23
ELISAFÃ, hebraico: Deus me protegeu, ou esconde – Nm 3.30
ELISAFATE, hebraico: Deus de defesa, Deus é juiz ou Jeová o escondeu - 2Cr 23.1
ELISAMA, hebraico: Deus ouviu – Nm 1.10
ELISEBA, hebraico: Deus da promessa – Ex 6.23
ELISEU, hebraico: Deus é salvação – 2Rs 2.15
ELISUA, hebraico: Deus é salvação, Deus é força – 2Sm 5.15
ELISUR, hebraico: Deus é uma rocha – Nm 1.5
ELIÚ, hebraico: Ele é Deus – 1Sm 1.1
ELIÚDE, hebraico: Deus meu louvor – Mt 1.14
ELIZAFRÃ, hebraico: quem Deus escondeu – Nm 3.30
ELIZUR, hebraico: Deus é uma rocha – Nm 1.5
ELMADÃ, hebraico: Deus de medida – Lc 3.28
ELMODADE, hebraico: Agitador – 1Cr 1.20
ELMODAM, hebraico: Deus de medida – Lc 3.28-29
ELMODOM, hebraico: Deus de medida – Lc 3.28-29
ELMOM DEBLATAIM, hebraico: escondido no pé de figo – Nm 33.46
ELNAÃO, hebraico: Deus é alegria – 1Cr 11.46
ELNAEM, hebraico: Deus é alegria – 1Cr 11.46
ELNATÃ, hebraico: Deus deu, Deus tem dado – 2Rs 24.8
ELOI, aramaico: meu Deus – Mc 15.34
ELOM, hebraico: terebinto, carvalho forte – Gn 26.34
ELOM-BETE-HANÃ, hebraico: carvalho da casa da paixão – 1Rs 4.9
ELOTE, hebraico: fortaleza – Dt 2.8
ELPAAL, hebraico: Deus operando maravilha, Deus é uma recompensa – 1Cr 8.11
ELPELETE, hebraico: Deus é livramento – 1Cr 14.5

EL-SHADAIS, hebraico: Deus é Senhor – Ex 6.3
ELTECOM, hebraico: Deus é firmeza – Js 15.59
ELTEQUE, hebraico: Deus é um terror – Js 19.44
ELTOLADE, hebraico: raça – Js 15.30
ELUL, hebraico: grito, ou colheita da vida – Ne 6.15
ELUZAI, hebraico: Deus é minha força – 1Cr 12.5
ELZABADE, hebraico: Deus deu, Deus tem outorgado
ELZAFÃ, hebraico: quem Deus escolheu – Nm 3.30
ELZAFRA, hebraico: quem Deus escondeu – Nm 3.30
EMÃ, hebraico: fiel – 1Cr 2.5
EMANUEL, hebraico: Deus conosco – Is 7.14
EMATE, hebraico: fontes quentes – Js 19.35
EMAÚS, hebraico: quentes, ou pessoas desprezadas, formas – Lc 24.13
EMEQUE-QUEZIZ, hebraico: vale de Queziz – Js 18.21
EMER, hebraico: Ele prometeu – 1Cr 9.12
EMINUS, hebraico: gigantes – Dt 2.9
EMONA, hebraico: coberta ou aldeia dos amonitas – Js 18.24
EMOR, hebraico: jumento – At 7.16
ENAZOR, hebraico: fonte de aldeia – Js 19.37
EN-CORE, hebraico: fonte do que clama – Js 15.19
EN-DOR, hebraico: fonte de dor, ou fonte de habitação – Js 17.11
EN-EGLAIN, hebraico: fonte de bezerros – Ez 47.10
EN-GANIN, hebraico: fonte dos jardins – Js 19.21
EN-GEDI, hebraico: fonte do cabrito – Is 15.62
EN-HACORÉ, hebraico: fonte do que clama – Jz 15.19
EN-HADÁ, hebraico: fonte de veemência – Js 19.21
EN-HAZOR, hebraico: fonte do recinto, fonte da aldeia – Js 19.37
EM-MISPATE, hebraico: fonte do juízo, fonte do julgamento – Gn 14.7
EN-RIMON, hebraico: fonte de Rimom, trovejador, ou fonte da romeira – Ne 11.29
EN-ROGEL, hebraico: fonte de Rogel ou canal de água – Js 15.7
EN-SEMES, hebraico: fonte do sol – Js 15.7
EL-TAPUA, hebraico: fonte da maça – Js 17.7
ENÃ, hebraico: que tem olhos, lugar das fontes – Nm 1.15
ENACORA, hebraico: fonte de chamada – Jz 15.19

ENAIM, hebraico: duas fontes - Gn 38.14
ENAQUE, hebraico: pescoço comprido – Nm 13.22
ENDOR, hebraico: fonte de habitação – Js 17.11
ENÉIAS, grego: louvável, famoso, curado – At 9.34
ENON, grego: fontes – Jo 3.23
ENOQUE, hebraico: iniciado, dedicado – Gn 5.21
ENÓS, hebraico: mortal, homem – Gn 5.9
EPAFRÁS, grego: forma abreviada de Epafrodito, amável – Cl 1.7
EPAFRODITO, grego: amável – Fl 2.25
EPÊNETO, grego: digno de louvor – Rm 16.5
EPIFANES, grego: revelação – 1Mac 2.19
EQUER, hebraico: estrangeiro que se estabelece em outro lugar – 1Cr 2.27
ER, hebraico: vigia, ergue-te na vigília – Gn 38.3
ERÃ, hebraico: vigilante – Nm 26.36
ERASTO, grego: amado – At 19.22
ERCUA, hebraico: fugitivo – Ed. 4.9
EREQUE, persa: comprimento – Gn 10.10
ERI, hebraico: vigilância – Gn 46.16
ERSOM, hebraico: dado de gozo, ou sitiado – Mt 1.3 (V.B.)
ESÃ, hebraico: proteção – Js 15.52
ESARADOM, persa: Assur deu um irmão, dom do fogo – 2Rs 19.37
ESAR-HADOM, persa: Assur deu um irmão – 2Rs 19.37
ESAÚ, hebraico: peludo, cabeludo – Gn 25.25
ESBÃ, hebraico: razão – Gn 36.26
ESBAAL, hebraico: fogo de Baal – 1Cr 8.33
ESBAI, hebraico: despojo, belo – 1Cr 11.37
ESBI, hebraico: despojo, belo – 1Cr 11.37
ESBOM, hebraico: razão, fortaleza – Gn 46.16
ESCARLATA, hebraico: carmesim – Js 2.18
ESCO, hebraico: opressão – 1Cr 8.39
ESCOL, hebraico: cacho de uva – Gn 14.24
ESDRAS, hebraico: auxílio, socorro (forma grega de Ezra) – Ed 7.1
ESDRIAS, hebraico: Deus ajudou – 2Mac 8.22
ESEBAM, hebraico: muito vermelho – Gn 36.36
ESEC, hebraico: opressão contenda – Gn 26.20

ESEQUE, hebraico: luta, opressão, contenda
ESER, hebraico: tesouro – Gn 36.21
ESFATA, hebraico: do cavalo – Et 9.7
ESLI, hebraico: perto de mim – Lc 3.25
ESMIRNA, latim: mirra ou amargura – Ap 1.11
ESPANHA, um país da Europa – Rm 15.24
ESPÍRITO SANTO, 3ª pessoa da Trindade – Sl 51.11
ESROM, grego: preso, sitiado – Mt 1.3
ESSI, hebraico: ao meu lado esta Deus – Lc 3.25
ETAN, hebraico: lugar de seres famintos – 1Cr 4.32
ESTAOL, hebraico: petição – Js 15.33
ESTAQUÍS, grego: espigas – Rm 16.9
ESTEFANÁS, grego: coroado – 1Co 1.16
ESTEMO, hebraico: obediência – Js 15.50
ESTEMOA, hebraico: obediência – Js 15.50
ESTER, hebraico: estrela, **persa:** situação – Et 2.7
ESTEVÃO, hebraico: uma coroa, grinalda – AT 6.5
ESTOM, hebraico: governado por mulher, ou excessivamente terno – 1Cr 4.12
ETÃ, hebraico: firme, fortaleza, lugar de feras – Jz 15.8
ETANA, hebraico: dádiva, salário – 1Cr 4.7
ETANIM, hebraico: chuva constante – 1Rs 8.2
ETÃO, hebraico: lugar de serem famintos – 1Cr 4.32
ETBAAL, hebraico: com Baal – 1Rs 16.31
ETE-CAZIM, hebraico: tempo de juiz – Js 19.13
ETEI, hebraico: oportuno – 2Cr 2.35
ETER, hebraico: abundância – Js 15.42
ETIÓPIA, grego: sol abrasador, queimado – 1Sl 68.31
ETIOPE, duplamente malicioso – 2Cr 12.3
ETNÃ, hebraico: dádiva, salário – 1Cr 4.7
ETNI, hebraico: liberal – 1Cr 6.41
EU SOU, hebraico: Jeová ou Senhor – Êx 3.14
ÉUBULO, hebraico: prudente – 2Tm 4.21
EÚDE, hebraico: união, forte – Jz 3.15
EUFRATES, persa: lago, água doce – Gn 2.14
EUMENES, hebraico: bem disposto – 1Mac 6.6-8
EUNICE, grego: vencendo gloriosamente, abençoada com vitória – 1Tm 1.5
EUNUCO, hebraico: que tem o aposento – Is 56.3

EUPOLEMO, hebraico: bom na guerra – 1Mac 8.17
EURA, hebraico: ramos – Jz 7.10
EURO AQUILÃO, grego: vento nordeste – At 27.14
ÊUTICO, grego: afortunado – At 20.9
EVA, hebraico: vida, ou mãe da vida – Gn 3.20
EVI, hebraico: desejo, concupisciência – Nm 31.8
EVIL-MORADAQUEL, babilônico: homem de deus Merodaque – 2Rs 25.27
EVÔDIA, grego: perfumado ou viagem prospera – Fl 4.2
EXÔDO, grego: saídas, nome do Livro
EZBAI, hebraico: desprezo – 2Sm 23.24
EZBAL, hebraico: brilhante – 1Cr 11.37
EZEL, hebraico: separado, partida – 1Sm 20.19
EZÉM, hebraico: osso – Js 15.29
EZEQUE, hebraico: violência – 1Cr 8.39
EZEQUIAS, hebraico: fortalecido por Deus, força de Deus – 2Rs 18.1
EZEQUIEL, hebraico: Deus fortaleceu, Deus fortaleza – Ez 1.3
EZER, hebraico: ajuda, tesouro – Gn 36.21
EZI, hebraico: minha força – Ne 11.22
EZION-GEBER, hebraico: espinha dorsal de gigante, espinha dorsal do homem – Dt 2.8
EZRA, hebraico: ajuda, auxílio – Ne 12.1
EZRÃ, grego: socorro – 1Cr 4.17
EZRI, hebraico: Deus é meu auxílio – 1Cr 27.26
EZRIEL, hebraico: auxílio de Deus – 1Cr 5.24
EZRICÃO, hebraico: auxílio contra o inimigo, auxílio que se levantou – 1Cr 3.23

F

FADON, hebraico: liberdade, redenção – Ed 2.44
FACÉIAS, hebraico: Jeová deu vista ou libertou – 2Rs 15.23-26
FAGOR, hebraico: abertura –Nm 23.28
FALAIA, hebraico: juizo do **Senhor** – Ne 11.12
FALETE, libertação – 1Cr 2.47
FALEZ, hebraico: divisão – Gm 10.25
FALONITA, hebraico: fulano – 1Cr 11.27
FALTI, hebraico: libertação do Senhor – 1Sm 25.44
FALTIAS, hebraico: libertação do Senhor – 1Cr 3.21
FALTIEL, hebraico: salvação de Deus – Nm 34.26
FALU, hebraico: distinguido, notável – Gn 46.9
FANUEL, hebraico: a face de Deus, presença de Deus – Lc 2.36
FARA, hebraico: ramos – Jz 7.11
FARNAC, hebraico: mui agil – Nm 34.25
FARNAQUE, hebraico: mui agil – Nm 34.25
FARSANDO, hebraico: de nascimento nobre – Et 9.7
FARSADANTE, hebraico: de nascimento nobre – Ed 9.7
FARTIEL, hebraico: salvação de Deus – Nm 34.26
FARAÓ, egípcio: a grande casa ou regente – 2Rs 23.29
FARES, hebraico: irrupção, rotura – Gn 38.29
FARFAR, hebraico: rápido – 2Rs 5.12
FARMASTA, persa: muito-grande – Et 9.9
FARMENAS, grego: pérola, ou coral – At 6.5, 1Sm 1.2
FARÓS, hebraico: irrupção ou dividir – 1Cr 27.3
FARUC, hebraico: florescente – 1Rs 4.17
FARUDA, hebraico: separada – Ed 2.55
FASÉA, hebraico: coxo – 1Cr 4.12
FASFA, hebraico: opressão – 1Cr 7.38
FASGA, hebraico: rocha fendida – Nm 21.30
FASPA, hebraico: dispersão – 1Cr 7.38

FASUR, hebraico: mui nobre – Jr 21.1
FAATE, hebraico: governador – Ed 2.6
FATEIA, hebraico: solto do Senhor – Ne 9.5
FATIA, hebraico: solto do Senhor – Ne 9.5
FATUEL, hebraico: abertura de Deus – Joel 1.1
FAU, hebraico: gritando - Gn 36.39
FEBE, hebraico: puro, brilhante, **grego:** luz da lua – Rm 16.1
FECAIA, hebraico: Jeová deu vista ou libertou – 2Rs 15.23-26
FEDASSUR, hebraico: redenção por força – Nm 1.10
FELDAS, hebraico: remido de Deus – NM 34.28
FELDÁS, hebraico: lâmpada de fogo – Gn 22.22
FELETE, hebraico: veloz – Nm 16.1
FELIX, latim: feliz, próspero – At 24.3
FENEMA, grego: coral – Is 1.2
FELTI, hebraico: libertação do Senhor – Ne 12.17
FENÍCIA, grego: terra de tamareiras, gente de pele escura – At 11.19
FEREZEUS, hebraico: aldeões – Gn 13.7
FERUDA, hebraico: eminência – Ed 5.5
FES-DOMIM, hebraico: costa de Domim – 1Cr 11.13
FESSE, hebraico: coxo – 1Cr 4.12
FETAIAS, hebraico: soldado do Senhor – Ne 3.9
FETATIAS, hebraico: Jeová abre – 1Cr 24.16
FESTO, latim: festivo, alegre, jubiloso – At 24.27
FESUR, hebraico: muito nobre – Jr 21.1
FEZATA, hebraico: branco – Et 9.9
FIALAS, hebraico: tem bacias – 2Cr 4.9
FICOL, hebraico: grande que fala a todos – Gn 21.22
FIGÊLO, grego: fugitivo – 2Tm 1.15
FILADÉLFIA, grego: amor fraternal – Ap 3.7
FILEMOM, grego: amante ou que beija – Fl 1.1
FILETO, grego: amado ou de amor – 2 Tm 2.17
FILIPE, grego: domador de cavalos – Mt 10.3
FILIPENSES, grego: nome dos naturais de Filipo
FILISTIA, hebraico: terra de estrangeiros – Sl 60.8
FILÓLOGO, grego: amigo das letras – Rm 16.15
FILOMETOR, grego: amável – 2Mac 4.21
FILIPOS, grego: pertence a Filipe – At 16.12
FILEGONTE, grego: ardente, zeloso – Rm 16.14

FINÉNAS, hebraico: negro - Êx 6.25
FISON, hebraico: grande difusão de água – Gn 2.11
FITON, hebraico: cercado – Êx 1.11
FOLATI, hebraico: obra do Senhor – 1Cr 26.5
FOQUERETE, hebraico: que enreda - Ed 2.57
FOSEC, hebraico: partidor – 1Cr 7.33
FORATA, hebraico: ornato ou dado a sorte - Et 9.8
FORMOSA, hebraico: beleza, bonita - At 3.2
FORTUNATO, latim: afortunado – 1Co 16.17
FRÍGIA, grego: algumas versões citam regiões frigo-galácia, origem desconhecida – At 16.6
FUA, hebraico: boca – Jz 10.1
FURÁ, hebraico: boca, beleza – Jz 7.10
FUTE, hebraico: extensão – Gn 10.6
FUTIEL, hebraico: aflingido por Deus – Êx 6.25

G

GAÃ, hebraico: flamífero – Gn 22.24
GAAL, hebraico: aversão – Jz 9.26
GAAR, hebraico: lugar de esconder – Ed 2.47
GAÁS, hebraico: terremoto – Js 24.30
GABA ou GABAA, hebraico: outeiro – Js 18.24, Jt 6.11
GABAI, hebraico: um fiscal de tributos – Ne 11.8
GÁBATA, hebraico: pavimento – Jo 19.13
GABAEL, hebraico: enviado de Deus – Tb 1.17
GABEÁ, hebraico: outeiro – Js 18.24
GABEL, hebraico: Deus das alturas – Tb 4.21
GABRIEL, hebraico: homem de Deus ou embaixador – Dn 8.16
GADARA, hebraico: capital da Peréia, cercado – Mt 8.28
GADE, hebraico: boa fortuna – Gn 30.11
GADER, hebraico: tapume, muro – Js 12.13
GADI, hebraico: afortunado – Nm 13.11
GADIEL, hebraico: Deus é minha fortuna ou Deus afortunou – Nm 13.10
GADIS, hebraico: afortunado – 1Mac 2.4
GAER, hebraico: esconderijo – Ed 2.47
GAETÃ, hebraico: doentio – Gn 36.11
GAIO, grego: alegre, **hebraico:** terreno, proprietário – At 19.30
GALAADE, hebraico: fonte perpétua – Gn 37.25
GALÁCIA, branco lácteo ou áspero – At 16.6
GALAADI, hebraico: removido pelo Senhor – Ne 12.36
GALAL, latim: que rola - 1Cr 9.15
GALALI, hebraico: removido pelo Senhor – Ne 12.36
GALÁTAS, pessoas moradoras na Galácia, Epistola do Apostolo Paulo
GALEADE, hebraico: monte de testemunho – Gn 31.47
GALEEDE, hebraico: monte de testemunho – Gn 31.47

GALGALA, hebraico: removendo – Dt 11.30
GALIÃO, latim: que vive de leite – At 18.12
GALILÉIA, hebraico: círculo – 1Rs 9.11
GALIM, hebraico: montões ou dois poços – Is 15.8
GÁLIO, latim: que vive de leite – At 18.12
GAMADITAS, hebraico: valentes – Ez 27.11
GAMALIEL, grego: recompensa de Deus – Nm 1.10
GAMARIAS, hebraico: aperfeiçoado pelo Senhor – Jr 36.10
GAMUL, hebraico: recompensado – 1Cr 24.17
GANZO, hebraico: abundante em sicomôro – 2Cr 28.18
GAREBE, hebraico: áspero – 1Cr 11.40
GARMITA, hebraico: que pertence a Gerem – 1Cr 4.19
GASA, hebraico: forte – Js 13.3
GASMU, hebraico: chuva – Ne 2.19
GATÃ, hebraico: doentio ou vale queimado – Gn 36.11
GATAM, hebraico: vale queimado – Gn 36.11
GATE, hebraico: lagar ou vale queimado – 1Sm 17.52
GATE-HEFER, hebraico: lagar da cova ou poço – Js 19.13
GATE-RIMON, hebraico: lagar das Romãs – Js 19.45
GATRIMOM, hebraico: lagar da Romã – Js 21.24
GAVER, hebraico: a cria de uma fera – 2Rs 9.27
GAZA, hebraico: forte – Js 13.3
GAZÃO, hebraico: devorador – Ed 2.48
GAZER, hebraico: tosquiador – 2Sm 5.25
GAZOR, hebraico: princípio, lugar talhado – Js 10.33
GEAZI, hebraico: vale da visão – 2Rs 4.12
GEBA, hebraico: outeiro – Js 18.24
GEBAI, hebraico: um fiscal de tributo – Ne 11.8
GEBAL, hebraico: montanha ou confim – Ez 27.9
GEBE, hebraico: outeiro – Js 18.24
GEBEÁ, hebraico: outeiro – Js 18.24
GEBER, hebraico: herói – 1Rs 4.19
GEBIM, hebraico: cisterna, gafanhoto – Is 10.31
GEDALIS, hebraico: Deus é grande – 2Rs 25.22
GEDER, hebraico: muro – Js 12.13
GEDERA, hebraico: muro, aprisco – Js 15.36
GEDEROTAIM, hebraico: dois apriscos – Js 15.36
GEDIEL, hebraico: tropa de Deus – Nm 13.10
GEDEROTE, hebraico: aprisco – Js 15.41

GEDOR, hebraico: muro, fortaleza – 1Cr 8.31
GEHENNA, hebraico: inferno – 2Cr 28.3, Jr 7.31
GELEADE, hebraico: fonte perpétua – Jz 11.1
GELILOTE, hebraico: círculos, regiões – Js 18.17
GEMALI, hebraico: que possui, ou monta camelo – Nm 13.12
GEMARIAS, hebraico: Jeová completou – Jr 29.3
GEMARIS, hebraico: Jeová completou, ou aperfeiçoou – Jr 29.3
GENESARÉ, hebraico: jardim de Hazor – Mt 14.34
GÊNESIS, grego: origem ou começo
GENLA, hebraico: ele cumprirá, ou Deus enche – 1Rs 22.8
GENUBATE, hebraico: ladrão – 1Rs 11.20
GEOM, hebraico: corrente – Si 24.37
GERA, hebraico: cereal ou grão – Gn 46.21
GERAR, hebraico: cântaro – Gn 10.19
GERASA, hebraico: cercado – Mt 8.28
GERIZIM, hebraico: terra estéril – Jz 9.7
GERSON, hebraico: banimento, peregrino – Êx 2.21
GERUTE-QUIMÃ, hebraico: alojamento de Quimã – Jr 41.17
GESÃ, hebraico: um torrão de terra, lugar talhado – 1Cr 2.47
GESÉM, hebraico: chuva – Ne 2.19
GESER, hebraico: lugar talhado – Js 10.33
GESUR, hebraico: ponte – 2Sm 13.37
GETAIM, hebraico: dois lugares – 2Sm 4.3
GETER, hebraico: medo – Gn 10.23
GETH, hebraico: medo – 2Sm 15.18
GETITE, hebraico: habitante de Geth ou dois lugares – 2Sm 15.19
GETSÊMANI, grego: lugar de azeite – Mt 26.36
GEUEL, hebraico: majestade de Deus – Nm 13.15
GEZER, hebraico: lugar separado – Js 16.33
GIA, hebraico: fonte – 2Sm 2.24
GIBAR, hebraico: valente ou herói – Ed 2.20
GIBÉA, hebraico: monte – Js 15.57
GIBEA-ELOIM, hebraico: monte de Deus - 1Cr 2.49
GIBEÃO, hebraico: que pertence a um monte – Js 18.25
GIBEATE, hebraico: altura – Js 18.28
GIBEATE-ARALOTE, hebraico: colunas dos prepúcios – Js 5.3
GIBEOM, hebraico: que pertence a um monte – Js 18.25
GIBETOM, hebraico: altura – Js 19.44

GIBLEUS, hebraico: povo da cidade de Gebal ou povo da montanha – Js 13.5
GIDÁLTI, hebraico: eu engrandeci – 1Cr 25.4
GIDEÃO, hebraico: cortador – Jz 6.11
GIDEL, hebraico: Ele engrandeceu – Ed 2.47
GIDEONI, hebraico: cortado – Nm 1.11
GIDOM, hebraico: cortador – Jz 20.45
GILALAI, hebraico: pesado, removido do Senhor – Ne 12.36
GILBOA, hebraico: fonte rumorosa ou nascente da fonte – 1Sm 28.4
GILEADE, hebraico: escabroso, áspero – Nm 26.29
GILGAL, hebraico: círculo – Js 4.19
GILIOTE, hebraico: círculos – Js 18.12
GILO, hebraico: exílio – Js 15.51
GIMEL, hebraico: 3ª letra do alfabeto hebraico, camelo – Sl 119.17
GINATE, hebraico: jardim – 1Rs 16.22
GINETE, hebraico: semelhança, proteção – 1Rs 16.21
GINETON, hebraico: jardineiro – Ne 10.6
GINZO, hebraico: abundante em sicômoros – 2Cr 28.18
GIOM, hebraico: rio corrente – Gn 2.13
GIRGASEUS, hebraico: que ocupa terreno argiloso – Gn 10.16
GISPÁ, hebraico: carícia – Ne 11.21
GITAIM, hebraico: dois lugares – 2Sm 4.3
GIZONITA, hebraico: lavrador de pedra – 1Cr 11.34
GOÁ, hebraico: mugido – Jr 31.39
GOATA, hebraico: mugido – Jr 31.39
GOBE, hebraico: cisterna ou pequeno abismo – 2sM 21.18
GODALIAS, hebraico: engrandecido pelo Senhor – 1Cr 25.3
GOGUE, hebraico: telhado alto, extensão – 1Cr 5.4
GOLÃ, hebraico: exílio ou círculo – Dt 4.43
GÓLGOTA, grego: caveira – Mt 27.33
GOLIAS, hebraico: exílio, passagem – 1Sm 21.9
GOMER, hebraico: completo ou perfeição – Gn 10.2
GOMORRA, hebraico: acúmulo ou povo medroso – Gn 10.19
GORÉM, hebraico: espinheiro – Gn 50.10
GÔRGIAS, grego: campestre – 1Mac 3.38
GÓSEM, hebraico: talhado, malhado – Gn 46.34
GOZÃ, hebraico: talhado – 1Cr 5.26

GOTONIEL, hebraico: vinhateiro – Jt 6.11

GUD-GODA, hebraico: monte de Gada, caverna do trovão – Dt 10.7

GUEL, hebraico: majestade de Deus – Nm 13.15

GUIGAL, hebraico: removendo – Dt 11.30

GUIMEL, hebraico: 3ª letra do alfabeto hebraico, camelo – Sl 119.17

GUME, hebraico: cume – Jz 3.16

GUNI, hebraico: pintado de várias cores – Gn 46.24

GUR, hebraico: residência, leãozinho – 2Rs 9.27

GUR-BAAL, hebraico: residência de Baal – 2Cr 26.7

GUSMU, hebraico: chuva – Ne 6.6

H

HÃ, hebraico: calor, queimado – Gn 14.5
HAASTARI, hebraico: tropeiro – 1Cr 4.6
HABA, hebraico: Ele será escondido – 1Cr 7.34
HABACUQUE, hebraico: o que abraça – Hc 1-1
HABAÍAS, hebraico: Jeová ocultou – Ed 2.61
HABAZINAIAS, hebraico: quem o Senhor fez escudo – Jr 35.3
HABOR, hebraico: junto a, unido – 2Rs 17.6
HACALIAS, hebraico: esperar por Jeová ou Jeová ocultou – Ne 1.1
HACAMOM, hebraico: muito sábio – 1Cr 27.32
HACMONI, hebraico: sábio – 1Cr 27.32
HACATÃ, hebraico: pequenês – Ed 8.12
HACOZ, hebraico: espinho – 1Cr 24.10
HACUFA, hebraico: incitação ou curvado – Ed 2.51
HADABE, hebraico: chefe ou pai – Gn 25.15
HADADE, hebraico: inclemência, ou pai – Gn 25.15
HADADEZER, hebraico: Hadade é auxílio ou a majestade (Hadade) é ajuda – 2Sm 8.3
HADADRIMON, persa: chefe de Romão – Zc 12.11
HADAR, hebraico: ornamento, glória – Gn 25.15
HADAREZER, majestade (Hadade) de ajuda ou Hadade é auxílio – 2Sm 8.3
HADASA, hebraico: murta, novo – Et 2.7
HADASSA, hebraico: murta, novo – Et 2.7
HADATA, nova – Js 15.25
HADES, hebraico: inferno; **grego:** escondido, mundo invisível – At 2.27
HADIDE, hebraico: aguçado – Ed 2.33
HADLAI, hebraico: frágil, ou abandonado pelo Senhor – 2Cr 28.12
HADORÃ, hebraico: raça elevada – Gn 10.27
HADORÃO, hebraico: raça elevada – Gn 10.27

HADRAQUE, persa: esférico – Zc 9.1

HAFARAIM, hebraico: lugar de dois poços ou duas côvas – Js 19.19

HAGABA, hebraico: gafanhoto – Ed 2.45

HAGERI, hebraico: vagabundo – 1 Cr 4.4

HAGABE, hebraico: gafanhoto – Ed 2.45

HAGAR, hebraico: fuga – Gl 4.24

HAGI, hebraico: festivo ou festival – Gn 46.16

HAGIAS, hebraico: festival de Jeová – 1Cr 6.30

HAGITE, hebraico: festivo – 2Sm 3.4

HAGUI, hebraico: festivo – Gn 46.16

HALA, hebraico: junto a, unido – 2Rs 17.6

HALACA, hebraico: monte calvo, liso, nu – Js 11.17

HALAQUE, hebraico: monte calvo, liso, nu – Js 11.17

HALDRAQUE, persa: esférico ou volta periódica – Zc 9.1

HALI, hebraico: colar ou ornamento – Js 19.11

HALOES, hebraico: encantador – Ne 3.12

HALOSETE, hebraico: encantador – Ne 10.24

HALUL, hebraico: abertura – Js 15.58

HAMÃ, hebraico: fortaleza, **persa:** bem disposto – Et 3.1

HAMATE, grego: fontes quentes, **hebraico:** fortaleza – Nm 34.8

HAMATE-DOR, grego: fontes quentes de Dor – Js 21.32

HAMATE-ZOBA, hebraico: fortaleza de Zoba – 2Cr 8.3

HAMEDATA, hebraico: dobrado – Et 3.1

HAMELEQUETE, hebraico: rei – Jr 36.26

HAMOLEQUETE, hebraico: rainha – 1Cr 7.18

HAMOM, hebraico: banho quente – Js 19.28

HAMOM-GOGUE, hebraico: multidão de Gogue – Ez 39.11

HAMONA, hebraico: abundância, multidão – Ex 39.16

HAMOR, hebraico: asno – Gn 34.2

HAMUEL, hebraico: calor divino – 1Cr 4.26

HAMUTAL, hebraico: da natureza de orvalho – 2Rs 23.31

HANÃ, hebraico: gracioso, misericordioso – 1Cr 8.23

HANAMEEL, hebraico: Deus se apiedou – Jr 32.7

HANANEEL ou HANANEL, hebraico: Deus tem sido gracioso – Jr 31.38

HANANI, hebraico: gracioso – 1Rs 16.1

HANANIAS, hebraico: Jeová é clemente, **grego:** resposta do Senhor – 1Cr 3.19

HANATOM, hebraico: benigno, grande graça ou olhando com favor – Js 19.14
HANES, hebraico: hieroglífico, su-chenen, mercurio – Is 30.4
HANINEL, hebraico: graça de Deus – Nm 34.23
HANIEL, hebraico: graça de Deus – Nm 34.23
HANOM, hebraico: dado por nada – 2Sm 10.1
HANOQUE, hebraico: dedicado – Gn 46.9
HANRÃO, hebraico: inexperiência – Ex 6.18
HANUM, hebraico: favorecido – Ne 3.30
HÃO, hebraico: calor, queimado – Gn 14.5
HAPISES, hebraico: dispersão – 1Cr 24.1
HAPSIBA, hebraico: meu gozo nela – 2Rs 21.1
HAQUILÁ, hebraico: escuro – 1Sm 23.19
HAQUILIA, hebraico: muito sábio – 1Cr 27.32
HAR, hebraico: cidadão, vigilante – 1Cr 4.15
HARÃ, hebraico: caminho, comércio – Gn 11.31
HARÁ, hebraico: região montanhosa – 2Cr 5.26
HARADA, hebraico: terror – Nm 33.24
HARADADE, hebraico: medo – Jz 7.1
HARAÍAS, hebraico: proteção do Senhor – Ne 3.8
HARARITA, hebraico: serrano ou morador da montanha – 2Sm 23.33
HARÁS, hebraico: extremamente pobre – 2Rs 22.14
HARBONA, hebraico: o que guia um jumento – Et 1.10
HAREFE, hebraico: arrebatar – 1Cr 2.51
HARETE, hebraico: cortador de lenha – 1Sm 22.5
HARIFE, hebraico: inverno – Ne 7.24
HARIM, grego: nariz chato, **hebraico:** consagrado – 1Cr 24.8
HARNEFER, hebraico: palpitação – 1Cr 7.36
HARODE, hebraico: terror – Js 7.1
HAROSETE, hebraico: escultor – Jz 4.16
HARSA, hebraico: encantador – Ed 2.52
HARSARSUAL, hebraico: aldeia da raposa – Js 15.26
HARUM, hebraico: exaltado – 1Cr 4.8
HARUMAFE, hebraico: chato de nariz – Ne 3.10
HARUR, hebraico: febre, inflamação – Ed 2.51
HARUZ, hebraico: industrioso – 2Rs 21.19
HASABA, hebraico: muitissimo estimado – 1Cr 3.20
HASABIAS, hebraico: o Senhor estimou ou Jeová tem imputado – 1Cr 6.45

HASABANDE, hebraico: estimado em juízo
HASABNÁ, hebraico: muitissimo estimado – Ne 10.25
HASABNIAS, hebraico: o Senhor estimou – Ne 3.10
HASADIAS, hebraico: Jeová mostrou-se benigno – 1Cr 3.19
HASBADAMA, hebraico: estimado em juízo – Ne 8.4
HASBANA, hebraico: estimado em juizo – Js 15.26
HASEM, hebraico: admirado – 1Cr 11.34
HASEMOM, hebraico: solo fértil – Js 15.26
HASMONA, hebraico: lugar fértil – Nm 33.29
HASOBNÉIAS, hebraico: o Senhor estimou – Ne 8.4
HASSABOM, hebraico: muitíssimo estimado – 1Cr 3.20
HASSENUA, hebraico: espinhoso – 1Cr 9.7
HASSENUÁ, hebraico: luz – Ne 11.9
HASSUBE, hebraico: atencioso – Ne 3.11
HASUBA, hebraico: estimado ou associação – 1Cr 3.20
HASUBE, hebraico: atencioso, pensativo – Ne 3.11
HASUFA, hebraico: despido, nu – Ed 2.43
HASUM, hebraico: opulento, rico – Ed 2.19
HATAQUE, hebraico: verdade - Et 4.5
HATATE, hebraico: terror – 1Cr 4.13
HATIFA, hebraico: cativo – Ed 2.54
HATIL, hebraico: vacilante – Ed 2.57
HATITA, hebraico: gravador – Ed 2.42
HATUS, hebraico: congregado – 1Cr 3.22
HAURÃ, hebraico: terra das cavernas ou cavernosa – Ez 47.16
HAVILÁ, hebraico: arenoso – Gn 10.7
HAVOTE-JAIR, hebraico: aldeias de Jair – Nm 32.41
HAZAEL, hebraico: Deus vê ou Deus tem visto – 2Rs 8.8
HAZAIAS, hebraico: Jeová tem visto – Ne 11.5
HAZAR, hebraico: cercado ou aldeia – Dt 2.23
HAZAR-HADAR, hebraico: aldeia de Hadar – Nm 34.4
HAZAR-ENÃ, hebraico: aldeia das fontes – Nm 34.9
HAZAR-GADA, hebraico: aldeia da boa fortuna – Js 15.27
HAZAR-MAVÉ, hebraico: aldeia da morte – Gn 10.26
HAZAR-MAVETE, hebraico: aldeia da morte – Gn 10.26
HAZAR-SUAL, hebraico: aldeia da raposa – Js 15.28
HAZAR-SUSA, hebraico: aldeia de cavalo – Js 19.5
HAZARMAVETE, hebraico: aldeia da morte – Gn 10.26
HAZELEI-PONE, hebraico: a sombra que vira para mim – 1Cr 4.3

HAZELELPONE, hebraico: que tu voltes para mim – 1Cr 4.3
HAZAZON-TAMAR, hebraico: poda da palmeira - Gn 14.7
HAZER, hebraico: cercado – Dt 2.23
HAZER-HATICOM, hebraico: aldeia do meio – Ez 47.16
HAZERIM, hebraico: aldeias – Dt 2.23
HAZEROTE, hebraico: acampamento – Nm 11.35
HAZIEL, hebraico: Deus vê ou visão de Deus – 1Cr 23.9
HAZO, hebraico: visão – Gn 22.22
HAZOR, hebraico: cerca ou cercado – Js 11.1
HAZOR-HADATA, hebraico: aldeia nova – Js 15.25
HE, hebraico: 5ª letra do alfabeto hebraico, representa também, o nº 5 – Sl 119.33
HEBER, hebraico: um rebento ou região além, união, sociedade – Gn 10.21
HEBREUS, (epístolas), assim chamada porque foi dirigida aos hebreus e judeus
HEBROM, hebraico: união, aliança, confederação – Ex 6.18
HEDER, hebraico: rebanho-1Cr 23.23
HELCAL, hebraico: porção do Senhor – Ne 12.15
HEFER, hebraico: poço – Nm 26.32
HEFZIBÁ, hebraico: o meu prazer está nela – 2Rs 21.1
HEGAL, hebraico: venerável – Et 2.3
HEGAI, hebraico: venerável – Et 2.3
HEGEL, hebraico: venerável – Et 2.3
HELA, hebraico: escuma ou ferrugem – 1Cr 4.5
HELÃ, hebraico: um exército – 2Sm 10.16
HELBA, hebraico: fartura- Jz 1.31
HELBOM, hebraico: fértil – Ez 27.18
HELCAI, hebraico: porção do Senhor ou a minha porção é o Senhor – Ne 12.15
HELCATE, hebraico: possessão ou lisura – Js 19.25
HELCATE-HAZURIM, hebraico: campos das espadas ou campo das facas afiadas – 1Sm 2.16
HELCI, hebraico: porção do Senhor – Ne 12.15
HELCIAS, hebraico: proteção do Senhor – 2Rs 18.37
HELDAI, hebraico: sonho durável – 1Cr 27.15
HELEBE, hebraico: gordura ou fértil – 2Sm 23.29
HELEDE, hebraico: sofrimento, vida transitória - 1Cr 11.30
HELEFE, hebraico: permuta ou mudança – Js 19.33
HELÉM, hebraico: martelo, golpe, pancada – 1Cr 7.35

HELEQUE, hebraico: lisura, igualdade ou porção – Nm 26.30
HELEZ, hebraico: forte, vigilância – 2Sm 23.26
HELI, grego: forma grega de Eli, elevação – Lc 3.23
HELIODÔRO, grego: dádiva do sol – 2Mac 3.7
HELIOPOLES, grego: cidade do Sol, vácuo, nonada, ídolo – Ez 30.17
HELOM, hebraico: forte – Nm 1.9
HELQUIAS, hebraico: Jeová está escondido – Ne 1.1
HEM, hebraico: graça, favor, bondade – Zc 6.14
HEMÃ, hebraico: fiel – 1Cr 6.33
HEMETE, hebraico: desejo – Gn 36.26 (V.B.)
HEMOR, hebraico: asno – Gn 33.19
HEN, hebraico: dom gracioso – Zc 6.14
HENA, hebraico: virando – 2Rs 18.34
HENADADE, hebraico: favor de Hadade – Ne 3.18
HENDÃ, hebraico: desejável – Gn 36.26
HENOC, hebraico: dedicado – Si 44.16
HEPSIBÁ, hebraico: meu gozo nela – 1Rs 21.1
HER, hebraico: vigia – Gn 38.3
HERES, hebraico: sol – Jz 1.35
HERETE, hebraico: separação – 1Sm 22.5
HERI, hebraico: vigilância – Gn 46.16
HERMAS, grego: mercúrio – Rm 16.14
HERMES, grego: mercúrio – Rm 16.14
HERMOGENES, grego: gerado por Hermes – 2Tm 1.15
HERMOM, hebraico: montanha sagrada – Dt 3.8
HERODES, hebraico: filho de herois, glória da pele, ou heróico – Mt 2.16
HERODIÃO, grego: pertence a Herodes – Rm 16.11
HERODIAS, grego: heróica – Mt 14.3
HESBOM, hebraico: razão, inteligência ou fortaleza, **grego:** descendente de herois – Nm 21.26
HESEBON, hebraico: cálculo – Jt 5.1
HESEDE, hebraico: misericórdia, bondade – 1Rs 4.10
HESLI, hebraico: perto de mim – Lc 3.25
HESMOM, hebraico: solo fértil – Js 15.27
HESER, hebraico: presa – 1Cr 4.4
HETE, hebraico: medo – Gn 10.15
HETLOM, hebraico: esconderijo – Ez 47.15
HEZECI, fortaleza do Senhor – 1Cr 8.17

HEZEQUIAS, hebraico: fortalecido por Deus – 2Rs 18.1 e SF 1.1
HEZIOM, hebraico: visão – 1Rs 15.18
HEZIR, hebraico: porco, leitão – 1Cr 24.15
HEZLON, hebraico: fortalecido por Deus – 1Rs 15.18
HEZRAI, hebraico: fechado – 2Sm 23.35
HEZROM, hebraico: preso, sitiado – Gn 46.9
HIDAI, hebraico: alegre – 2Sm 23.30
HIDEQUEL, hebraico: o rápido – Gn 2.14
HIEL, hebraico: Deus vive – 1Rs 16.34
HIERÁPOLIS, grego: cidade sagrada- Cl 4.13
HIGAION, hebraico: som profundo, meditação – Sl 9.16
HILEL, hebraico: louvou a Deus – Jz 12.13
HILEM, hebraico: martelo – 1Cr 6.58
HILQUIAS, hebraico: Jeová é minha porção – 2Rs 18.18
HIMINEU, grego: pertencente a Himem (Deus do casamento) ou cantico sagrado – 1Tm 1.20
HINOM, hebraico: lamentação, ou grátis – Jr 19.2
HINORO ARCO, hebraico: balada heróicos – 2Sm 1.8
HIR, hebraico: cidadão ou vigilância – 1Cr 4.15
HIRA, hebraico: nobreza – Gn 38.1
HIRÃO, hebraico: consagração – 2Sm 5.11
HIZQUI, hebraico: Deus é minha força – 1Cr 8.17
HOÃO, hebraico: ruído de uma multidão – Js 10.3
HOBÃ, hebraico: esconderijo – Gn 14.15
HOBABE, hebraico: querido, amante – Nm 10.29
HODAVIAS, hebraico: a sua glória é o Senhor – 1Cr 3.24
HODE, hebraico: esplendor, majestade – 1Cr 7.37
HODES, hebraico: lua nova – 1Cr 8.9
HODIAS, hebraico: esplendor de Jeová ou a sua glória é o Senhor – 1Cr 4.19
HODSI, hebraico: consagrado – 2Sm 24.6
HOFA, hebraico: da praia, do porto – 1Cr 24.13
HOFNI, hebraico: pugilista, ou pertencente ao punho – 1Sm 1.3
HOFRA, hebraico: povoação, um veado – 1Cr 4.14
HOGLA, hebraico: perdiz – Nm 26.33
HOLEZ, hebraico: forte ou vigilância – 2Sm 23.26
HOLOFERMES, assirio: capitão forte – Jt 2.4
HOLOM, hebraico: arenoso – Js 15.51
HOMÃ, hebraico: destruição ou destruidor – 1Cr 1.39

HOR-GIDGABE, hebraico: montanha de Gaalade – Nm, 33.32

HOR, hebraico: montanha – Nm 20.22

HORMA, hebraico: dedicado a destruição – Nm 14.45

HORÃO, hebraico: elevação – Js 10.3

HOREBE, hebraico: seco, deserto – Êx 3.1

HORÉM, hebraico: consagrado, sagrado – Is 15.5

HORI, hebraico: habitante da caverna – Nm 13.5

HORMÃ, hebraico: lugar devastado ou condenado – Nm 21.3

HORONAIM, hebraico: cidade de duas cavernas – Is 15.5

HOSA, hebraico: salva agora, procurando refúgio – Js 19.29

HOSAÍAS, hebraico: Deus ajuda, ou libertado pelo Senhor – Ne 12.32

HOSAMA, hebraico: Deus ouve ou Deus ouviu – 1Cr 3.18

HOSANA, grego: salva-nos te pedimos, **hebraico:** Deus ouve – Mt 21.9

HOSMOM, hebraico: solo fértil – Js 15.27

HOTÃ, hebraico: selo, sinete - 1Cr 7.32

HOTÃO, hebraico: anel – 1Cr 7.32

HOTIR, hebraico: quem não tem medo – 1Cr 25.4

HOZAI, hebraico: vivente ou Jeová está vendo – 2Cr 33.19

HUCOQUE, hebraico: decretado – Js 19.34

HUFÃ, hebraico: da praia, porto ou protegido – Nm 26.39

HUL, hebraico: círculo – Gn 10.23

HULDA, hebraico: doninha – 2Rs 22.14

HUNTA, hebraico: lugar de lagartos – Js 15.54

HUPA, hebraico: coberta – 1Cr 24.13

HUPIM, hebraico: cobertas – Gn 46.21

HUR, hebraico: esplendor – 1Cr 2.19

HURAI, hebraico: tecelão – 1Cr 11.32

HURÃO, hebraico: nobre, ingênuo – 1Cr 8.5

HURI, hebraico: tecelão – 1Cr 5.14

HUSA, hebraico: presa – 1Cr 4.4

HUSÃ, hebraico: emoção – Gn 36.34

HUSAI, hebraico: apressando-se – 2Sm 15.32

HUSÃO, hebraico: colérico, grande presa – Gn 36.34

HUSATE, hebraico: presa – 1Cr 4.4

HUSIM, hebraico: rico de filhos – Gn 46.23

HUZ ou HUS, hebraico: fértil – Gn 36.28

HUZABE, hebraico: cidade rainha – Ne 2.7

HUZATE, hebraico: prega – 1Cr 4.4

I

IAMURTE, hebraico: altura – Js 15.35

IARNUN, hebraico: sono – Js 15.53

IBAR, hebraico: Deus escolha, Jeova escolherá ou Deus escolheu – 1Cr 3.6

IBLEÃ, hebraico: o povo falha, quem devorará o povo ou lugar de vitória – Js 17.11

IBNÉIAS, hebraico: Jeová edifica – 1Cr 9.8

IBNIJAS, hebraico: Jeová edifica – 1Cr 9.8

IBRI, hebraico: hebreu – 1Cr 24.27

IBSÃ, hebraico: ilustre – Js 12.8

IBSÃO, ou IBIZÃO, hebraico: flagrante – 1Cr 7.2

ICABÓ, hebraico: foi-se a glória – 1Sm 4.21

ICABODE, hebraico: foi-se a glória – 1Sm 4.21

ICÔNIO, grego: velho ou pequena imagem – At 14.1

ICUTIEL, hebraico: o temor do Senhor ou Deus é poderoso – 1Cr 4.18

IDALA, latim: lugar da multidão – Js 19.15

IDÁLIA, latim: que viu o sol, **grego:** sol flamejante – Js 19.15

IDBAS, hebraico: doce como mel – 1Cr 4.3

IDIDA, hebraico: louvor do Senhor ou conhecido do Senhor – 1Cr 4.37

IDIA, hebraico: louvor do Senhor ou conhecido do Senhor – 1Cr 4.37

IDO, hebraico: amável, adornado, feliz – 1Rs 4.14

IDOX, hebraico: senhor idoso – Jt 8.1

IDUMÉIA, grego: pertence a Edom – Mc 3.8

IELON, hebraico: escondido – 1Cr 1.35

IEZER, hebraico: meu pai é auxilio – Jz 17.2

IFDÉIAS, hebraico: Jeová livra – 1Cr 8.25

IFTÁ, hebraico: Ele abre ou liberta – Js 15.43

IFTAEL, hebraico: Deus abre, ou liberta – Js 19.14

IGDALIAS, hebraico: o Senhor engrandecerá – Jr 35.4
IGAL, hebraico: Ele vingará – 2Sm 23.36
IGEAL, hebraico: Ele remirá – 1Cr 3.22
IIM, hebraico: ruínas – Js 15.29
IJE ABARIM, hebraico: ruínas de Abarim – Nm 33.44
IJIM, hebraico: ruínas – Js 15.29
IJOM, hebraico: ruínas – 1Rs 15.20
ILAI, hebraico: supremo – 1Cr 11.29
ILIRIA, grego: gozo – Rm 15.19
ILÍRICO, grego: gozo – Rm 15.19
IMER, hebraico: loquaz, ou ele prometeu – 1Cr 24.14
IMNA, hebraico: felicidade ou ele restringe – Gn 46.17
IMNÃ, grego: retém – 1Cr 7.35
INLA, hebraico: ele cumprirá, ou Deus enche – 1Rs 22.8
INLÃ, hebraico: Deus enche – 1Rs 22.8
INRA, hebraico: teimoso – 1Cr 7.36
INRI, hebraico: eloqüente – 1Cr 9.4
IQUES, hebraico: perverso – 2Sm 23.26
IR, hebraico: uma cidade – 1Cr 7.12
IR-NAAS, hebraico: cidade de serpente ou cidade de uma serpente – 1Cr 4.12
IRA, hebraico: vigilante – 2Sm 23.26
IRÃ, hebraico: cidadão – 1Cr 1.54
IRADE, hebraico: cidade de testemunha ou coredor – Gn 4.18
IRAJÁ, hebraico: o Senhor vê – Jr 37.13
IRI, hebraico: cidadão ou vigilante – 1Cr 7.7
IROM, hebraico: reverência, timidez – Js 19.38
IRPEEL, hebraico: Deus cura – Js 18.27
IRU, hebraico: cidadão ou vigilância – 1Cr 4.15
IS-BOSETE, hebraico: homem de vergonha – 2Sm 2.8
IS-HODE, hebraico: homem dc esplendor ou homem de glória – 1Cr 7.18
IE-SEMES, hebraico: cidade do sol – Js 19.41
IS-TOBE, hebraico: homens de Tobe – 2Sm 10.6
ISABEL, hebraico: Deus que faz pacto ou Deus de juramento, Fenicio, amante – Lc 1.5
ISAI, hebraico: riqueza – 1Cr 2.5
ISAIAS, hebraico: Salvação de Deus ou Jeová salvou – Is 1.1
ISAQUE, hebraico: riso ou ele riu-se também aquele quem Deus sorri – Gn 21.3

ISARI, hebraico: criador – 1Cr 25.11
ISBÃ, hebraico: Ele louva – 1Cr 4.17
ISBAAL, hebraico: apaziguador – 2Sm 2.8
ISBI-BENOBE, hebraico: habitante de Nobe, ou das alturas – 2Sm 2.8
ISCÁ, hebraico: discernimento ou ele verá – Gn 11.29
ISCARIOTES, hebraico: homem natural de Queriote, ou homem de morte – Mt 10.4
ISI, hebraico: salutar – 1Cr 2.31
ISLI, hebraico: ao meu lado está Deus – Lc 3.25
ISMA, hebraico: desolação ou distinção – 1Cr 4.3
ISMAEL, hebraico: quem Deus ouve – Gn 16.15
ISMAIA, hebraico: Jeová ouve – 1Cr 12.4
ISMAQUIAS, hebraico: Jeová sustenta – 2Cr 31.13
ISMERAI, hebraico: Jeová nos guarda – 1Cr 8.18
ISODE, hebraico: homem de esplendor – 1Cr 7.18
ISPÁ, hebraico: calvo – 1Cr 8.16
ISPÃ, hebraico: Ele esconderá – 1Cr 8.22
ISPAQUE, hebraico: ele será visível – 1Cr 8.16
ISRI, hebraico: criador – 1Cr 25.11
ISRAEL, hebraico: que luta com Deus, ou o que governa com Deus – Gn 32.28
ISSACAR, hebraico: salário ou galardão – Gn 30.18
ISSIAS, hebraico: Jeová abandona – 1Cr 7.3
ISUL, hebraico: pai de liberdade – 1Sm 14.49
ISVÃ, hebraico: ele reparte, igualdade – Gn 46.17
ISVI, hebraico: igual – Gn 46.17
ITAI, hebraico: arador, vivo – 2Sm 15.19
ITÁLIA, latim: terra de bezerros ou Ítalo – At 10.1
ITAMAR, hebraico: terra de palmeiras – Êx 6.23
ITAL, hebraico: vivo – 2Sm 15.19
ITIEL, hebraico: Deus está comigo – Ne 11.7
ITLA, hebraico: lugar alto – Js 19.42
ITMA, hebraico: privação – 1Cr 11.46
ITNÃ, hebraico: perene – Js 15.23
ITRA, hebraico: abundância – 2Sm 17.25
ITRÃ, hebraico: excelente – Gn 36.26
ITRAM, hebraico: muito eminente – Gn 36.26
ITREÃO, hebraico: fartura de gente – 2Sm 3.5

ITURÉIA, hebraico: terra de Jetur ou Jeter – Lc 3.1
IVA, hebraico: virando, **alemão:** feixo, uma árvore – 2Rs 18.34
IZAR, hebraico: brilho ou azeite – 1Cr 4.7
IZLIAS, hebraico: livramento – 1Cr 8.18
IZRAÍAS, hebraico: Jeová eleva – 1Cr 7.3
IZRI, hebraico: criativo – 1Cr 25.11

J

JÁ, hebraico: forma abreviada de Jeová, Senhor, Deus – Sl 68.4
JAACA, hebraico: necessidade ou inteligência – Dt 10.6
JAACOBÁ, hebraico: suplantador – 1Cr 4.36
JAALÁ, hebraico: corça – Ed 2.56
JAANAI, hebraico: o Senhor ouve – 1Cr 5.12
JAARÉ-OREGIM, hebraico: tecelões da floresta – 2Sm 21.19
JAARESIAS, hebraico: Jeová nutre – 1Cr 8.27
JAASAI, hebraico: Jeová faz – Ed 10.37
JAASAU, hebraico: feito pelo Senhor – Ed 10.37
JAASIEL, hebraico: Deus faz – 1Cr 11.47
JAATE, hebraico: ávido – 1Cr 4.2
JAAZ, hebraico: lugar aberto – Nm 21.23
JAAZANIAS, hebraico: Ele será ouvido pelo Senhor – 2Rs 25.23
JAAZER, hebraico: o Senhor ajudará ou serviçal – Nm 21.39
JAAZIAS, hebraico: Jeová consola – 1Cr 24.26
JAAZIAZ, hebraico: ele verá o Senhor – Ed 10.25
JAAZIEL, hebraico: Deus vê – 1Cr 12.4
JABAL, hebraico: rio, torrente – Gn 4.20
JABES, hebraico: seco – 2Rs 15.10
JABES-GILEADE, hebraico: cidade seca, ou fonte alta – Jz 21.10
JABEZ, hebraico: que causa dor – 1Cr 4.9
JABIM, hebraico: inteligente – Js 11.1
JABNAEL, hebraico: Deus edifica – Js 19.33
JABNE, hebraico: Deus edifica – Js 19.33
JABNEEL, hebraico: Deus edificará – Js 19.33
JABOQUE, hebraico: efusão, despejado – Gn 32.22
JAÇA, hebraico: turbulento – 1Cr 5.13
JACÃ, hebraico: turbulento – 1Cr 5.13
JACIM, hebraico: Deus estabelecerá – 1Cr 24.12
JACÓ, hebraico: suplantador, enganador – Gn 25.33

JADA, hebraico: sábio – 1Cr 2.28
JADAI, hebraico: diretivo – 1Cr 2.47
JADAIAS, hebraico: Jeová conhece – Ed 2.36
JADALA, hebraico: louvor do Senhor – 1Cr 4.7
JADIEL, hebraico: Deus alegra – 1Cr 5.24
JADO, hebraico: união – 1Cr 5.14
JADOM, hebraico: governam, julga ou habita - Ne 3.7
JADUA, hebraico: conhecido – Ne 10.21
JAIEL, hebraico: esperança de Deus - Gn 46.14
JAEL, hebraico: cobra montesa ou dilatado – Jz 4.17
JAELA, hebraico: escondido – Gn 36.5
JAERÁ, hebraico: mel – 1Cr 9.42
JAFÉ, hebraico: beleza, engrandecimento – Gn 10.21
JAFETÉ, hebraico: engrandecimento – Gn 9.18
JAFIA, hebraico: brilhando – Js 10.1.5
JAFIETI, hebraico: será libertado pelo Senhor – Js 16.3
JAFLETE, hebraico: que o livre, será libertado – 1Cr 7.32, Js 16.3
JAFO, hebraico: belo ou alto – Js 19.46
JAGUR, hebraico: hospedaria, alojamento – Js 15.21
JAIEL, hebraico: feito por Deus – Ed 10.21
JAION, hebraico: morando ou obstinado – 1Cr 4.1
JAIR, hebraico: ele iluminará, ele pode reconduzir ou ele levanta – Dt. 3.14
JAIRO, grego: forma grega de Jair ou difundidor de luz – Mt 9.18
JALALIEL, hebraico: ele louvará a Deus – 1Cr 4.16
JALÃO, hebraico: escondido – Gn 36.5
JALEEL, hebraico: Deus aflige – Gn 46.14
JALOM, hebraico: obstinado – 1Cr 4.17
JAMAI, hebraico: robusto – 1Cr 7.2
JAMAL, hebraico: robusto – 1Cr 7.2
JAMBRES, hebraico: oponente –2Tm 3.8
JAMIM, hebraico: mão direita ou prosperidade – Gn 46.10
JANA, hebraico: ele que fala – Lc 3.24
JANAI, hebraico: voraz – 1Cr 5.12
JANES, hebraico: aquele que fala – 2Tm 3.8
JANIA, latim: referente ao deus Jano – 1Mac 5.58
JANIM, hebraico: sono – Js 15.53
JANLEQUE, hebraico: que eleja rei – 1Cr 4.34

JANOA, hebraico: descanso – Js 16.6
JANRA, hebraico: ele rebelará ou se exaltará – 1Cr 7.36
JANUM, hebraico: sono – Js 15.53
JAQUE, hebraico: piedoso (pio, temente a Deus) – Pv 30.1
JAQUIM, hebraico: Ele estabelece, ou se levanta – Gn 46.10
JARÁ, hebraico: o Senhor adornará – 1Cr 9.42
JARAFEL, hebraico: Deus restaurará – Js 18.27
JAREBE, hebraico: contencioso – Os 5.13
JAREDE, hebraico: descida – Gn 5.15
JARIBE, hebraico: contendedor, adversário ou ele luta - 1Cr 4.24
JARIM, hebraico: florestas – Js 15.10
JARMUTE, hebraico: altura – Js 15.35
JAROA, hebraico: lua, mês – 1Cr 5.14
JARPEL, hebraico: Deus restaurará – Js 18.27
JASA, hebraico: lugar aberto – Jr 48.21
JASÃO, grego: saudável – At 17.6
JASÉIAS, hebraico: Jeová vê – Ed 10.21
JASEM, hebraico: dormindo ou brilhando – 2Sm 23.32
JASER, hebraico: reto, justo – 1Cr 2.18
JASERA, hebraico: ele pode reconduzir – 1Cr 9.12
JASHAR, hebraico: reto – 1Sm 1.18
JASIEL, hebraico: feito por Deus – 1Cr 11.47
JASOBEÃO, hebraico: que o povo se volte para Deus – 1Cr 11.11
JASOM, grego: saudável – At 17.6
JASSOM, grego: saudável – At 17.6
JASUBE, hebraico: Ele volta – Ed. 10.29
JASUBILEM, hebraico: pão que volta – 1Cr 4.22
JATANAEL, hebraico: ele será dado por Deus – 1Cr 26.2
JATER, hebraico: proeminente, alto – Js 15.48
JATIR, hebraico: proeminente, alto excelência – Js 15.48
JATNIEL, hebraico: Deus concede ou Deus confere dons – 1Cr 26.2
JAVÃ, hebraico: barro ou jovem – Gn 10.2
JAVAE, hebraico: barro ou jovem – Gn 10.2
JAZA, hebraico: lugar aberto – Jr 48.21
JAZANIAS, hebraico: Jeová ouve – 2Rs 25.23
JAZER, hebraico: serviçal ou o Senhor ajudará – Nm 32.1
JAZERA, hebraico: ele pode reconduzir – 1Cr 9.12

JAZIEL, hebraico: Deus distribui – 1cr 15.18

JAZIZ, hebraico: ele brilhará, ou trará abundância – 1Cr 27.31

JEALELEL, hebraico: Ele louva a Deus – 1Cr 4.16

JEARIM, hebraico: floresta – Js 15.10

JEATERAI, hebraico: ele abundará Senhor – 1Cr 6.21

JEBAAR, hebraico: o Senhor escolherá – 2Sm 5.15

JEBANIAS, hebraico: Ele será edificado pelo Senhor – 1cr 9.8

JEBLEÃ, hebraico: quem devorará o povo – Jz 25.2

JEBEREQUIAS, hebraico: Jeová abençoa – Is 8.2

JEBNEEL, hebraico: Deus edificará – Js 15.11

JEBSAM, hebraico: ele cheirará agradavelmente – 1cr 7.2

JEBUS, hebraico: lugar que é pisado – Js 18.28

JEBUSEUS, hebraico: habitantes de Jebus – Jz 19.10

JECABAZEEL, hebraico: Deus ajudou – Ne 11.25

JECABNEEL, hebraico: Deus traz junto – Js 15.21

JECABSEL, hebraico: Deus ajudou – Ne 11.25

JECALZEEL, hebraico: Deus ajuntou – Ne 11.25

JECAMEÃO; hebraico: reunião de gente – 1Cr 23.19

JECAMIAS, hebraico: Jeová estabelecerá – 1Cr 2.41

JECELIAS, hebraico: Jeová prevaleceu – 2Rs 15.2

JECOLIA, hebraico: Jeová prevaleceu – 2R 15.2

JECONIAS, hebraico: Jeová é firme – 1Cr 3.16

JECUTIEL, hebraico: reverência a Deus – 1Cr 4.18

JEDAÍAS, hebraico: Jeová julga – 1cr 4.36

JEDIAEL, hebraico: conhecido de Deus – 1Cr 7.6

JEDIAS, hebraico: moveu-se, Jeová expira alegremente, alegra-pelo Senhor ou Deus fortalece – 1Cr 27.30

JEDIDA, hebraico: amado – 2Rs 22.1

JEDIDIÃS, hebraico: querido de Jeová – 2Sm 12.25

JEDIEL, hebraico: conhecido de Deus – 1Cr 7.6

JEDIDJÃ, hebraico: amado de Jeová – 2Sm 12.25

JEDUTUM, hebraico: louvor – 1Cr 16.41

JEEZER, hebraico: pai de ajuda – Nm 26.30

JEEZQUEL, hebraico: Deus fortalece - 1Cr 24.16

JEFONE, hebraico: será separado – Nm 13.6

JEFTÁ, hebraico: Deus abre, libertador – Jz 11.3

JEFTÉ, hebraico: Deus abre, libertador – Jz 11.3

JEGAR-SAADUTA, aramaico: monte de testemunho – Gn 31.47

JEGDALIAS, hebraico: o Senhor engrandecerá – Jr 35.4

JEGADALIAS, hebraico: o Senhor engrandecerá – Jr 35.4
JEIAS, hebraico: que vive no Senhor – 1Cr 15.24
JÉIAS, hebraico: Jeová vive – 1Cr 15.24
JEIEL, hebraico: Deus consola, tesouro divino, ou Deus vive – 1Cr 5.7
JEIZQUIAS, hebraico: Jeová fortalece – 2cr 28.12
JELEL, hebraico: escondido por Deus – 1cr 5.7
JEMMA, hebraico: alguém retém – 1Cr 7.35
JEMAI, hebraico: robusto – 1Cr 7.2
JEMIMA, hebraico: pombo – Jó 42.14
JEMMEA, hebraico: alguém retém, ou estorva – 1Cr 7.35
JEMUEL, hebraico: luz de Deus ou que Deus deseja – Gn 46.10
JEOACAZ, hebraico: Jeová assegura – 2Rs 23.24
JEOAQUIM, hebraico: Jeová estabeleceu – 2Rs 23.35
JEOÁS, hebraico: Jeová é forte – 2Rs 13.10
JEOADA, hebraico: Jeová embelezou – 1Cr 8.36
JEOIADA, hebraico: Jeová conhece – 2Sm 8.18
JEOIARIBE, hebraico: Jeová roga – 1Cr 4.7
JEOIRIGE, hebraico: Jeová contenderá – 1Cr 24.7
JEORÃO, hebraico: Jeová é exaltado – 1Rs 22.51
JEOSAFÁ, hebraico: Jeová julga – 1Rs 15.24
JEOSEBA, hebraico: Jeová é juramento – 2Rs 11.2
JEOVÁ, hebraico: Senhor – Êx 3.14 e Êx 6.2
JEOVÁ-ADOM, hebraico: Deus Senhor – Ne 10.29
JEOVÁ-HOSSENU, hebraico: o Senhor, nosso Deus – Ne 10.29
JEOVÁ-JIRÉ, hebraico: Deus proverá – Gn 22.14
JEOVÁ-MAQUEDE, hebraico: o Senhor fere – Ez 7.9
JEOVÁ-MEQUEDESH, hebraico: o Senhor que santifica - Êx 31.13
JEOVÁ-MIKADESKIM, hebraico: o Senhor que vos santifica – Êx 31.13
JEOVÁ-NISSI, hebraico: o Senhor é a minha bandeira – Êx 17.15
JEOVÁ-RAFA, hebraico: o Senhor é o que sara – Êx 15.26
JEOVÁ-SABAOTE, hebraico: o Senhor dos exércitos – 1Sm 1.3
JEOVÁ-SAMA, hebraico: o Senhor está ali – Ez 48.35
JEOVÁ-SHALOM, hebraico: o Senhor é a nossa paz - Jz 6.24
JEOVÁ-TSIDQUENU, hebraico: o Senhor justiça nossa – Jr 23.6
JEOZABATE, hebraico: o Senhor deu – 1Cr 26.4

JEOZADABE, hebraico: o Senhor deu – 1Cr 26.4
JEOZADAQUE, hebraico: Jeová é justo – 1Cr 6.15
JERÁ, hebraico: mês, lua – Gn 10.26
JERAMEEL, hebraico: Deus tenha compaixão ou Deus é compassivo – 1Cr 2.9
JERÃO, hebraico: ele obterá misericórdia – 1Sm 1.1
JEREBAÃO – hebraico: que pleiteia pelo povo – 1Rs 11.29
JEREDE, hebraico: descendente – Gn 5.18
JEREMAI, hebraico: alto – Ed 10.33
JEREMIAS, hebraico: Jeová estabelece – Jr 1.1
JEREMOTE, hebraico: alto – Ed 10.29
JERESIAS, hebraico: será nutrido pelo Senhor – 1Cr 11.47
JERIAS, hebraico: Jeová vê – 1Cr 23.19
JERIBAI, hebraico: contencioso – 1Cr 11.46
JERICÓ, hebraico: lugar de fragância ou de suave odor – Dt 34.3
JERIEL, hebraico: achado por Deus – 1Cr 7.2
JERIMOTE, hebraico: elevações, altura – 1Cr 7.7
JERIOTE, hebraico: cortinas – 1Cr 2.18
JERIANI, hebraico: Jeová vê – 1Cr 23.19
JERMAL, hebraico: alto – Ed 10.33
JEROÃO, hebraico: alcançou misericórdia – 1Sm 1.1
JEROBOÃO, hebraico: o povo tornou-se numeroso – 1Rs 11.26
JEROM, hebraico: grande reverência – Js 19.38
JERONIMO(A), grego: nome sagrado – 2Mac 12.2
JERSA, hebraico: lua crescente – 1Cr 2.34
JERSIAS, hebraico: Jeová nutre – 1Cr 8.27
JERUBAAL, hebraico: que Baal por si mesmo contenda – Jz 7.1
JERUBESETE, hebraico: que a vergonha combata – 2Sm 11.21
JERUEL, hebraico: fundado por Deus, ou adorado por Deus – 1Cr 20.16
JERUSA, hebraico: possuída ou possessão – 2Rs 15.33
JERUSALÉM, hebraico: habitação de paz ou habitação segura – Js 10.1
JESAIAS, hebraico: Jeová é opulento, ou salvação de Jeová – 1Cr 25.3
JESANA, hebraico: velho – 2Cr 13.19
JESARELA, hebraico: íntegro – 1Cr 25.14
JESBOQUE, hebraico: ele ficará – Gn 25.2
JESBÃO, hebraico: ele voltará entre o povo – 1Cr 11.11

JESCA, hebraico: Ele verá – Gn 11.29
JESFA, hebraico: calvo – 1Cr 4.18
JESEBEABE, hebraico: habitação paternal – 1Cr 24.13
JESEIAS, hebraico: Jeová vê – Ed 10.31
JESER, hebraico: justiça ou retidão – 1Cr 2.18
JESI, hebraico: salvação – 1Cr 4.20
JESIÃO, hebraico: antigo do Senhor – 1Cr 5.14
JÉSIAS, hebraico: Jeová abandona – Ed 10.31
JESIMIEL, hebraico: Deus estabelece, ou ergue – 1Cr 4.36
JESIMON, hebraico: deserto – 1Sm 23.19
JESISAI, hebraico: que pertence a um velho – 1Cr 5.14
JESOAÍAS, hebraico: Jeová humilha – 1Cr 4.36
JESONIAS, hebraico: Jeová ouve – 2Rs 25.23
JESSI, hebraico: dádiva, riqueza – 1Sm 16.1
JESUA, hebraico: Jeová é salvação – 1Cr 24.11
JESUI, hebraico: igual – 1Sm 14.49
JESUL, hebraico: igual – Nm 26.44
JESUS, grego: Salvador, **hebreu:** Josué – Mt 1.21
JESURUM, hebraico: amado, reto – Dt 32.15
JETE, hebraico: fortalecedor, ou sujeição – Gn 36.40
JETER, hebraico: abundância, eminência, excelência – Jz 8.20
JETETE, hebraico: fortalecedor ou sujeição – Gn 36.40
JETRA, hebraico: abundância – 2Sm 17.25
JETRAÃO, hebraico: exaltado – 2Sm 3.5
JETRO, hebraico: excelência ou sua excelência – Êx 3.1
JETIAS, hebraico: Ele exaltará – 2Sm 17.25
JETUR, hebraico: nômade – Gn 25.15
JEÚ, hebraico: Ele é Jeová – 1Cr 2.38
JEUBÁ, hebraico: escondido – 1Cr 7.34
JEUCAL, hebraico: Jeová é capaz - Jr 37.3
JEÚDE, hebraico: louvor – Js 19.45
JEUDI, hebraico: judeu ou louvor do Senhor – Jr 36.14
JEUEL, hebraico: tesouro de Deus – 1Cr 9.6
JEÚS, hebraico: apressado ou conselheiro – Gn 36.5
JEUZ, hebraico: ele aconselha ou conselheiro – 1Cr 8.10
JEZABEL, hebraico: casta ou um montão de lixo – 1Rs 16.31
JEZANIAS, hebraico: Jeová ouve – 2Rs 25.23
JAZEL, hebraico: Deus distribui – Gn 6.24
JAZEEL, hebraico: Deus distribui – Gn 6.24

JEZATA, hebraico: branco – Et 9.9

JEZER, hebraico: formação, pai de ajuda – Nm 26.30

JEZIAS, hebraico: Jeová exulta – Ed 10.25

JEZIEL, hebraico: Assembléia de Deus – 1Cr 12.3

JEZOAR, hebraico: alvura – 1Cr 4.7

JEZRAIAS, hebraico: Jeová ilumina – Ne 12.42

JEZREEL, hebraico: Deus semeia – Js 19.18

JEZONIAS, hebraico: Deus ouve – 2Rs 25.23

JIDIAFE, hebraico: ele chorará – Gn 22.22

JIDLAFE, hebraico: ele chorará – Gn 22.22

JIFEÁ, hebraico: ele abrirá – Js 15.43

JIGDALIAS, hebraico: Jeová é grande – Jr 35.4

JIGEAL, hebraico: Ele remirá – 1Cr 3.22

JIM, hebraico: ruinas – Js 15.29

JIMNÁ, hebraico: prosperidade – Nm 26.44

JISBAQUE, hebraico: abandonado – Gn 25.2

JITREÃO, hebraico: exaltado – 2Sm 3.5

JIZAR, hebraico: brilho, azeite – Nm 16.1

JÓ, hebraico: voltando sempre para Deus, hostilizado, isto é o que suporta as adversidades – Gn 46.13

JOÁ, hebraico: Jeová é irmão – 1Cr 26.4

JOABE, hebraico: Jeová é pai – 1Sm 26.6

JOACÁZ, hebraico: Jeová apoderou-se ou Jeová deitou a mão – 2Cr 34.8

JOADÃ, grego: Senhor do prazer, **hebraico:** Jeová apoderou-se – 1Rs 14.2

JOADEM, hebraico: Jeová apoderou-se – 1Rs 14.2

JOANA, hebraico: Jeová tem sido favorável ou gracioso – Lc 8.3

JOANÃ, hebraico: Jeová tem sido gracioso – 1Cr 3.15

JOÃO, hebraico: graça, favor de Deus – Mt 3.4

JOÃO BATISTA, hebraico: Deus tem misericórdia – Mc 1.4

JOÃO MARCOS, junção de dois nomes João-Jeová, tem sido agraciado, Marcos, martelo grande – At. 12.12

JOAQUIM, hebraico: Jeová estabeleceu ou Jeová tem levantado – 2Rs 24.8

JOÁS, hebraico: Jeová é forte – Jz 6.11

JOBABE, hebraico: aclamar, tocar trombeta, rugir – Gn 10.29

JOCBEÃO, hebraico: possuído pelo povo – Js 15.56

JOCMEÃO, hebraico: o povo vem junto – 1Cr 6.68

JOCNEÃO, hebraico: o povo que possua – Js 12.22
JOCOEÁ, hebraico: elevado – Nm 32.35
JOCSÃ, hebraico: caçador – Gn 25.2
JOCTÃ, hebraico: pequeno – Gn 10.26
JOCTEEL, hebraico: sujeito a Deus – Js 15.38
JODÃ, hebraico: sábio – Lc 3.26
JODE, 10ª letra do alfabeto hebraico, sábio – Sl 119.73
JOEDE, hebraico: Jeová é testemunho – Ne 11.7
JOEL, hebraico: Jeová é Deus – 1Sm 8.2
JOELA, hebraico: ajude-se – 1Cr 12.7
JOEZER, hebraico: Jeová é auxílio – 1Cr 12.6
JOGLI, hebraico: levado para exílio ou para o cativeiro – Nm 34.22
JOIADA, hebraico: Jeová conhece – 2Sm 8.18
JOIAQUIM, hebraico: Jeová estabelece – Ne 12.10
JOIARI, hebraico: Jeová defende – 1Cr 24.7
JOIARIBE, hebraico: Jeová defende – 1Cr 24.7
JOIRIBE, hebraico: Jeová roga – 1Cr 24.7
JOJADA, hebraico: Jeová conhece – 2Cr 22.11
JONÃ, hebraico: Jeová tem sido gracioso – Lc 3.30
JONADABE, hebraico: Jeová é generoso – 2Sm 13.3
JONAS, hebraico: pomba – Jo 1.1
JONATAS, hebraico: Jeová nos deu ou ou dádiva de Deus – 1Sm 14.49
JOPE, hebraico: beleza - Js 19.46
JOQUEBEDE, hebraico: Jeová é glória ou Jeová é grande – Êx 6.20
JOQUIM, hebraico: o Senhor tem levantado – 1Cr 4.22
JORA, hebraico: a primeira chuva – Ed 2.18
JORAI, hebraico: ele será edificado pelo Senhor – 1Cr 5.13
JORÃO, hebraico: Jeová é exaltado, ou sublime – 2Rs 8.16
JORDÃO, hebraico: o que desce ou o que corre – Gn 13.10
JORIM, hebraico: o Senhor exalta – Lc 3.29
JORQUEÃO, hebraico: expansão – 1Cr 2.44
JOSA, hebraico: retidão – 1Cr 4.34
JOSABE-BASSEBETE, hebraico: apaziguador – 2Sm 23.8
JOSAFÁ, hebraico: Jeová julga – 1Rs 15.24
JOSAVIAS, hebraico: Jeová fez justiça – 1Cr 11.46
JOSBECASA, hebraico: lugar de firmeza – 1Cr 25.4

JOSÉ, hebraico: Ele acrescenta – Gn 35.24

JOSIAS, hebraico: curado por Jeová ou Jeová sara – 2Rs 21.24

JOSIBIAS, hebraico: Jeová concede abrigo – 1Cr 4.35

JOSIFIAS, hebraico: Jeová dará aumento – Ed 8.10

JOSUÉ, hebraico: Jeová é salvação; **grego:** Jesus – Nm 13.16

JOTÃO, hebraico: Jeová é perfeição ou reto – Jz.9.5

JOTBÁ, hebraico: agrade, bondade – 2Rs 21.19

JOTBATA, hebraico: bondade – Nm 33.33

JOZABADE, hebraico: Jeová concedeu ou Jeová doador – 1Cr 12.4

JOZACAR, hebraico: o Senhor se lembrou – 2Rs 12.21

JOZADAQUE, hebraico: Jeová é justo – 1Cr 26.4

JOZONIAS, hebraico: Ele será ouvido do Senhor – 2Rs 25.23

JUBAL, hebraico: torrente, região úmida, música – Gn 4.21

JUBILEU, hebraico: sonido de trombeta – Lc 25.12

JUCAL, hebraico: capaz – Jr 37.3

JUDÁ, hebraico: louvor ou louvado – Gn 29.35

JUDAS, forma grega da palavra hebraica Judá, louvor – Mt 10.4

JUDAS ISCARIOTES, Judas de Cariote – Mt 26.14

JUDAS-MACABEU, hebraico: associação de dois nomes Judas (louvor), Macabeu (martelo) – 1Mac 2.4

JUDÁS O ZELOTE, hebraico: Judas o zeloso – Jo 7.5

JUDÉIA, latim: terra dos judeus – At. 1.8

JUDI, hebraico: louvor do Senhor – Js 36.45

JUDITE, hebraico: digno de louvor – Gn 26.34

JUÍZES, livro da Bíblia que narra o período dos juízes

JÚLIA, latim: macia, feminino de Júlio – Rm 16.15

JÚLIO, latim: macio, **grego:** de cabelos macio – At 27.1

JUNCO, hebraico: gome, papiro – Êx 2.3

JÚNIAS, grego: moça jovem – Rm 16.7

JÚPITER, grego: céu limpo, ou pai de ajuda – At 19.35

JUSABE-HESEDE, hebraico: voltou a misericórdia ou regresso da bondade – 1Cr 3.20

JUSTO, latim: reto, licito, perfeito, moderado – At 1.23

JUTÃ, hebraico: estendido – Js 15.55

JUTÁ, hebraico: extenso ou inclinado – Js 15.55

K

KABZEEL, hebraico: Deus ajuntou – Js 15.21
KADMIEL, hebraico: eternidade de Deus – Ne 7.43
KALEI, hebraico: pouco estimado, ou Deus é luz – Ne 12.20
KEILA, hebraico: fortaleza – Js 15.44
KEMUEL, hebraico: congregação de Deus – Gn 22.21
KEREM-HAPUQUE, hebraico: brilho de cores – Jó 42.14
KÉSIA, hebraico: canela – Jó 42.14
KETURA, hebraico: incenso, perfume – Gn 25.1
KIR, hebraico: um muro, fortaleza – Am 9.7
KOLAIAS, hebraico: a voz do Senhor – Ne 11.7

L

LAADÃ, hebraico: posto em ordem - 1Cr 7.26
LAADE, hebraico: opressão – 1Cr 4.2
LAAI-ROI, hebraico: poço do que vive - Gn 24.62
LAAMÃ, hebraico: lugar de luz – Js 15.40
LAAMÁS, hebraico: lugar de luz – Js 15.40
LABÃ, hebraico: branco, limpo – Gn 24.29
LABÃO, hebraico: branco, limpo – Gn 24.29
LACUM, hebraico: obstrução – Js 19.33
LADA, hebraico: ordem – 1Cr 4.21
LADÃ, hebraico: bem ordenado – 1Cr 7.26
LAEL, hebraico: consagrado a Deus – Nm 3.24
LAGO DE GENESARE, hebraico: mar de Quinerete ou Galiléia, harpa – Jo 21.1
LAÍS, hebraico: leão, forte, **grego:** democrática – Jz 18.7
LAMÊDE, 20ª letra do alfabeto hebraico – Sl 119.89
LAMENTAÇÕES, livro de Jeremias, sentimento de tristeza
LAMEQUE, hebraico: poderoso, ou moço forte – Gn 4.18
LAMI, hebraico: guerreiro comedor – 1Cr 20.5
LAMIA, hebraico: fantasma ou chacais – Lm 4.3
LAODICÉIA, grego: que pertence a Laodice, justiça do povo, ou povo justo – Cl 4.16
LAPIDOTE, hebraico: tochas ou archotes –Jz 4.4
LAQUIS, hebraico: difícil de tomar ou tenaz –Is 15.39
LARMUTE, hebraico: altura – Js 10.3
LASA, hebraico: fenda – Gn 10.19
LASAROM, hebraico: que pertence a Sarom ou Planície – Js 12.18
LASSAROM, hebraico: que pertence a Sarom ou planície – Js 12.18
LASCA, latim: país pedregoso – As 10.7
LASÉIA, latim: país pedregoso – At 27.8

LASTENES, hebraico: fortíssimo – 1Mac 11.31
LATUSIM, hebraico: marteladores – Gn 25.3
LÁZARO, forma grega de Eleazar, Deus ajudou – Lc 16.20
LEABIM, hebraico: chamas, calor ardente – Gn 10.13
LEÃO, hebraico: soberba – 2Rs 17.25
LEBANA, hebraico: branca – Ed. 2.45
LEBAOTE, hebraico: leoa – Js 15.32
LEBE-AMAI, hebraico: caldeu – Jr 5.11
LEBEU, hebraico: forte de coração – Mt 10.3
LEBNA, hebraico: alvura – Nm 33.20
LEBONA, hebraico: incenso – Jz 21.19
LECA, hebraico: jornada – 1Cr 4.21
LECI, hebraico: instruído – 1Cr 4.21
LEÍ, hebraico: queixada – Jz 15.9
LEÍA, hebraico: vaca brava, **anglo-saxão:** igual abrigo – Gn 29.16
LEILA, hebraico: fortaleza, castelo, o mesmo que Abiqueila – 1Cr 4.19
LEMUEL, hebraico: dedicado a Deus – Pv 31.1
LEQUÍS, hebraico: queixo – Js 15.9
LESEM, hebraico: pedra preciosa ou fortaleza – Js 19.47
LEET, hebraico: avido – 1Cr 23.10
LETUSIM, hebraico: marteladores – Gn 25.3
LEUMIM, hebraico: povos e nações – Gn 25.3
LEVI, hebraico: associado, único, adesão – Gn 29.34
LEVIATÃ, hebraico: ferida em espiral ou dragão dos mares – Jó 41.1
LEVÍTICO, 3º livro da Bíblia, referente aos levitas, leis
LEZA, hebraico: furado – Gn 10.19
LIA, hebraico: vaca brava – Gn 29.16
LIBANA, hebraico: alvura – Num 33.20
LÍBANO, hebraico: muito branco – Os 14.5
LÍBIA, hebraico: preto coração do mar – At 2.10
LÍBNA, hebraico: branco puro – Nm 33.20
LIBNI, hebraico: branco puro – 1Cr 6.17
LICAÔNIA, que pertence ao rei Licaom – At. 13.51
LÍCIA, grego: que pertence a Licus ou dissolvendo – At 27.5
LÍCIO, grego: ave – At 27.5
LIDA, grego: natividade – At 9.32

LÍDIA, latim: deriva da palavra Lidos, seu fundador – At 16.14
LINO, latim: rédeas, **grego:** de cabelos loiros – 2Tm 4.21
LILITE, hebraico: fantasma – Is 34.14
LIQUI, hebraico: erudito, notável pelo saber, **grego:** sedução – 1Cr 7.19
LISÂNIAS, latim: tristeza que termina – Lc 3.1
LÍSIAS, latim: dispersando, **grego:** o que volta, o que libera – At 23.28
LISTRA, latim: tem margens o que derrete – At 16.1
LITOSTROTOS, hebraico: pavimento – Jo 19.13
LIVRO DOS JUSTOS, hebraico: lugar aberto – 1Sm 1.18
LÓ, hebraico: mirra ou véu – Gn 11.31
LÔ-AMI, hebraico: não meu povo – Os 1.9
LOBNA, hebraico: branco, transparente – Êx 6.17
LÓ-DEBAR, hebraico: sem pasto – 2Sm 9.4
LÓ-RUAMA, hebraico: desfavorecida ou não considerada – Os 1.6
LODE, hebraico: contenda – 1Cr 8.12
LÓIDE, hebraico: melhor, superior – 2Tm 1.5
LOTÃ, hebraico: cobertura – Gn 36.20
LOUVOR, hebraico: elogio – Lv 22.29
LUBIM, hebraico: moradores em lugar sedento – Gn 10.13
LUCAS, latim: luminoso – Cl 4.14
LÚCIO, latim: luz – At 13.1
LUCIFER, latim: portador ou estrela da manhã é o simbolo de satanás – Is 14.12
LUDE, hebraico: curvado – Gn 10.22
LUDIM, hebraico: descendentes de Lude – Gn 10.13
LUITE, hebraico: feito de pranchões - Is 15.5
LUZ, hebraico: amendoeira – Gn 28.19
LUZA, hebraico: amendoeira – Gn 28.19
LYCIA, hebraico: dissolvendo – At 27.5

M

MAACA, hebraico: o preço ou depressão – Gn 22.24
MAACATE, aramaico: casa de opressão – 2Sm 20.14
MAADAI, hebraico: inconstante, ornamento do Senhor – Ed 10.34
MAADIAS, hebraico: ornamento de Jeová – Ne 12.5
MAAI, hebraico: compaixão – Ne 12.36
MAALÁ, hebraico: cântico – Nm 26.33
MAALÃ, hebraico: doença – Nm 26.33
MAALATE, hebraico: doença, ansiedade – Gn 28.9
MAALELEL, hebraico: louvor a Deus – Gn 5.12
MAALI, hebraico: enfermidade, doença – Êx 6.19
MAANAIM, hebraico: dois acampamentos, ou dois campos, dois exércitos – Gn 32.2
MAANÉ-DÁ, hebraico: acampamento de Dã – Jz 13.25
MAASIAS, hebraico: refúgio – Ed 10.18
MAATE, hebraico: presa, ou instrumento de presa – 1Cr 6.35
MAAZ, hebraico: ira ou conselheiro – 1Cr 2.27
MAARAI, hebraico: impetuosidade do Senhor – 2Sm 23.28
MAARATE, hebraico: lugar sem árvores – Js 15.59
MAARI, hebraico: impetuoso – 2Sm 23.28
MAASAI, hebraico: obra do Senhor – 1Cr 9.12
MAASÉIAS, hebraico: refúgio – Ed 10.18
MAASIAI, hebraico: obra do Senhor – 1Cr 9.12
MAAZIAZ, hebraico: consolação de Jeová – 1Cr 24.18
MAAZIOTE, hebraico: visão, expectativa – 1Cr 25.4
MABSAR, hebraico: defesa – Gn 36.42
MACABEUS, hebraico: martelo, Livro apócrifos
MACAZ, hebraico: fim – 1Rs 4.9
MACBANAI, hebraico: coberto com capote – 1Cr 12.13
MACBENA, hebraico: capote ou laço – 1Cr 2.49
MACEDA, hebraico: lugar de pastores – Js 10.10

MACEDÔNIA, hebraico: adoração, elevação, **grego:** eminente – At 16.9

MACENIAS, hebraico: posse do Senhor – 1Cr 15.18

MACELOTE, hebraico: varas – 1Cr 8.32

MACLA, hebraico: pisando – Gn 22.24

MACNADEBAI, hebraico: que há como a liberdade do Senhor – Ed. 10.40

MACPELA, hebraico: caverna dupla, ou duplicação – Gn 23.19

MACQUI, hebraico: diminuição – Nm 13.15

MACTÊS, hebraico: cavidade – Sf 1.11

MACU, hebraico: diminuição – Nm 13.15

MADAI, hebraico: meio – Gn 10.2

MADALENA, hebraico: de Magdala, torre magnifica – Lc 8.2

MADIAS, ornamento do Senhor – Ne 12.5 e Ba 3.23

MADMANA, hebraico: monturo – Js 15.31

MADMÉM, hebraico: monturo – Jr 48.2

MADMENA, hebraico: monturo – Is 10.31

MADOM, hebraico: contenda, luta – Js 11.1

MAELI, hebraico: doença – Nm 3.20

MAER-SALAL-HAS-BAZ, hebraico: rápido, desposo, presa, segura – Is 8.1

MAGADÃ, hebraico: magnificante – Mt 15.39

MAGBIS, hebraico: congregação – Ed 2.30

MAGDALA, hebraico: torre ou cidade das torres – Mt 15.39

MAGDIEL, hebraico: honra divina – Gn 36.43

MAGEDOM, hebraico: magnificante – Mt 15.39

MAGOGUE, hebraico: expansão, extensão – Ez 38.2

MAGOR-MESSABIDE(a), hebraico: terror por todos os lados – Jr 20.3

MAGPÍAS, hebraico: matador de mariposas – Ne 10.20

MAGROM, hebraico: lugar de grande conflito – 1Sm 14.2

MAI, hebraico: compaixão – Ne 12.36

MAINÃ, hebraico: feliz – 1Cr 24.9

MAIOM, hebraico: doença – Rt 1.2

MAIMAM, hebraico: da dextra, feliz – 1Cr 24.9

MAIR, hebraico: preço, pago – 1Cr 4.11

MALA, hebraico: doença, enfermidade – Nm 26.33

MALALAI, hebraico: eloquente – Ne 12.36

MALÁQUIAS, hebraico: mensageiro de Deus ou meu mensageiro – Ml 1.1
MALASAR, hebraico: camareiro ou dispenseiro – Dn 1.11
MALCÃ, hebraico: reinante – 1Cr 8.9
MALCO, hebraico: conselheiro; **grego:** rei – Jo 8.10
MALELEEL, hebraico: louvor de Deus – Gn 5.12
MALI, hebraico: fraco, doente – Êx 6.19
MALOM, hebraico: doença ou adoentado – Rt 1.2
MALOTI, hebraico: expectativa, Deus fala – 1Cr 25.4
MALOQUE, hebraico: conselheiro – 1Cr 6.44
MALQUI, hebraico: urtiga – Nm 13.15
MALQUIAS, hebraico: Jeová é rei – 1Cr 6.40
MALQUIEL, hebraico: Deus é rei – Gn 46.17
MALQUIRÃO, hebraico: é rei é exaltado – 1Cr 3.18
MALQUISUA, hebraico: meu rei salva ou meu rei é o Senhor – 1Cr 8.33
MALTA, grego: doce como o mel – At 28.1
MALUQUE, hebraico: conselheiro – 1Cr 6.44
MAMOM, aramaico: riqueza – Mt 6.24
MANÁ, hebraico: que é isto? – Êx 16.15
MANAATE, hebraico: descanso – Gn 36.23
MANAÉM, grego: consolador - At 13.1
MANASSÉS, hebraico: quem faz esquecer – Gn 41.51
MANOÁ, hebraico: descanso, quietude – Jz 13.2
MAOLI, hebraico: doença – 1Cr 23.11
MANRÉ, hebraico: força, gordura – Gn 14.13
MANUÉ, hebraico: descanso – Jz 13.2
MAOL, hebraico: dança, alegria – 1Rs 4.31
MAOM, hebraico: habitação – Js 15.55
MAOQUE, hebraico: opressão – 1Sm 27.2
MAQUEDÁ, hebraico: lugar dos pastores – Js 15.41
MAQUEDE, hebraico: lugar de pastores – 1Mac 5.26
MAQUELOTE, hebraico: assembléias – Nm 33.25
MAQUI, hebraico: intriga, diminuição – Nm 13.15
MAQUIR, hebraico: vendido – Gn 50.23
MAR, oceano – Gn 1.10
MAR DA GALILÉIA, harpa – Mt 4.18
MAR MEDITERRÂNEO, mar interior – Nm 13.29
MAR MORTO ou SALGADO, que não tem vida – Gn 14.3

MAR OCIDENTAL, mar Mediterrâneo – Dt 11.24
MAR ORIENTAL, mar Morto – Nm 34.3
MAR SUFE, lírio roxo o mesmo que Mar Vermelho – Dt 1.1
MAR SUL, mar morto, que não tem vida – Ez 47.8
MARA, hebraico: amarga, amargosa, triste, **siriaco:** senhora – Rt 1.20
MARAÍ, hebraico: levantado pelo Senhor ou rebelião – Ne 12.12
MARAIOTE, hebraico: rebelde - 1Cr 6.6
MARALÁ, hebraico: tremor – Js 19.11
MARANATA, aramaico: o Senhor vêm – 1Co 16.22
MARCOS, latim: martelo grande – At 12.12
MARDOQUEU, hebraico: homem pequeno, adorador de marte – Et 2.5
MARDIQUIDES, hebraico: adorador de marte – Ne 7.7
MARES, hebraico: alto – Et 1.14
MARESSA, hebraico: frente, ou a cabeça – Js 15.44
MARETI, hebraico: lugar de árvores nuas – Js 15.59
MARIA, hebraico: Miriã, exaltada, forte – Êx 15.20
MARIA MADALENA, Miriã de Magdalã – Jo 19.25
MARISA, hebraico: aglutinação dos nomes maria + luzia – II-Mac 12.35
MAROTE, hebraico: amargura, fontes amargosas – Mq 1.12
MARSENA, hebraico: alto, elevado – Et 1.14
MARTA, grego: senhora; **hebraico:** quem fica amarga – Lc 10.38
MARTIR, grego: testemunha – At 17.6
MÁS, hebraico: tirado – Gn 10.23
MASAI, hebraico: obra de Jeová – 1Cr 9.12
MASÉIAS, hebraico: Jeová é refúgio – Jr 32.12
MASQUIL, hebraico: poema didático ou reflexivo, inteligência ou meditação piedosa – Sl 31.8
MASRECÁ, hebraico: vinha – Gn 36.36
MASSÁ, hebraico: provocação, carregar pardo – Gn 25.14
MATÃ, hebraico: dádiva, donativo – Nm 21.18
MATANÁ, hebraico: donativo – Nm 21.18
MATANAI, hebraico: dom do Senhor, dádiva – Ed 10.33
MATANIAS, hebraico: dom do Senhor ou dádiva – Ed 10.33
MATATÁ, hebraico: donativo – Lc 3.31
MATATE, hebraico: dom, quem dá – Lc 3.29
MATATIAS, grego: dom de Jeová – Lc 3.25

MATENAI, hebraico: dádiva ou dom do Senhor – Ne 12.19
MATEUS, hebraico: dom de Deus, homem de Deus – Mt 9.9
MATIAS, grego: Mateus; **hebraico:** dom de Jeová – At 1.23
MATITIAS, hebraico: dom de Deus – 1Cr 9.31
MATREDE, hebraico: puxar para adiante - Gn 36.39
MATRI, hebraico: chuvoso – 1Sm 10.21
MATUSALÉM, hebraico: homem armado ou homem de paz – Gn 5.27
MAUMAM, hebraico: fiel – Et 1.10
MAZIAU, hebraico: consolação de Jeová – 1Cr
ME-JARCOM, hebraico: água amarela, ou água de grande verdura – Js 19.46
ME-ZAABE, hebraico: águas de ouro ou coberto de ouro – Gn 36.39
MEÁ, hebraico: um cento – Nm 3.1
MEARA, hebraico: caverna – Js 13.4
MEBUNAI, hebraico: edifício do Senhor, construído – 2Sm 23.27
MECONA, hebraico: fundação – Ne 11.28
MEDÃ, hebraico: contenda ou juizo – Gn 25.2
MEDADE, hebraico: amor – Nm 11.26
MEDEBA, hebraico: água tranqüila, amor – Nm 21.30, Js 13.9
MÉDIA, hebraico: entendido do Senhor – Ed 6.2
MEDIADOR, grego: aquele que intervêm, intercessor – Gl 3.20
MEETABEL, hebraico: Deus abençoa – Gn 36.39
MEFAATE, hebraico: beleza – Js 13.18
MEFIBOSETE, hebraico: vergonha destruidora – 2Sm 21.8
MECBIS, hebraico: congregação fortaleza – Ed 2.30
MEGIDO, hebraico: lugar de tropas – Js 12.21
MEÍDA, hebraico: união – Ed 2.52
MEIR, hebraico: preço – 1Cr 4.11
MELATIAS, hebraico: Jeová libertou – Ne 3.7
MELEA, hebraico: rainha – Gn 11.29
MELEÁ, hebraico: plenitude – Lc 3.31
MELEQUE, hebraico: rei – 1Cr 8.35
MELITA, latim: doce como mel – At 28.1
MELO, hebraico: monte ou plenitude – 2Sm 5.9
MELOTI, hebraico: Deus fala – 1Cr 25.4
MELQUI, hebraico: Jeová é rei – Lc 3.24

MELQUIAS, hebraico: meu rei é Senhor – 1Cr 9.12
MELQUIEL, hebraico: meu rei é Deus – Gn 46.17
MELQUIRÃO, hebraico: meu rei é exaltado – 1Cr 3.18
MELQUISEDEQUE, hebraico: rei de justiça – Gn 14.18
MELQUISUA, hebraico: meu rei é prosperidade – 1Sm 14.49
ME-JARCOM, hebraico: água de grande verdura ou água amarela – Js 19.46
MELTIAS, hebraico: o Senhor livrou – Ne 3.7
MEME, 10ª letra do alfabeto hebraico – Sl 119.97
MEMUCÃ, persa: forte em autoridade - Et 1.14
MENÁ, hebraico: consolação – Lc 3.31
MENAÉM, hebraico: consolador – 2Rs 15.14
MENE MENE, aramaico: contou Deus o teu reino e acabou – Dn 5.25
MENELAU, grego: o que não se curva ao povo – 2Mac 4.23
MÊNFIS, egipcio: o bom lugar ou o lugar do bem, **hebraico:** porta dos abençoados – Is 19.13
MENOFER, **egipcio:** bom lugar – Is 19.13
MEONÃ, hebraico: fundação – Ne 11.28
MEONATI, hebraico: habitações do Senhor – 1Cr 4.14
MEONEMIM, hebraico: entendidos dos tempos – Jz 9.37
MEONOTAI, hebraico: minhas moradas – 1Cr 4.14
MERABE, hebraico: aumento – 1Sm 14.49
MERAÍAS, hebraico: levantado pelo Senhor, **grego:** contumácia – Ne 12.12
MERAIOTE, hebraico: rebeliões – 1Cr 6.6
MERARI, hebraico: amargoso, infeliz – Gn 46.11
MERATAIM, hebraico: dupla rebelião – Jr 50.21
MERCÚRIO, grego: comprar ou vender, deus da mitologia – At 14.12
MEREDE, hebraico: rebelião – 1Cr 4.17
MEREMOTE, hebraico: alturas – Ed 8.33
MERES, hebraico: alto ou digno – Et 1.14
MERESA, hebraico: o que esta a cabeceira - Gn 36.39
MERIAS, hebraico: levantado pelo Senhor ou rebelião – Ne 12.12
MEROBE, hebraico: multiplicação – 1Sm 18.17
MERODAQUE, babilônico: morte – Jr 50.2

MERODAQUE-BALADÃ, babilônico: Marte é adorador de Baal – 2RS 20.12
MEROM, hebraico: altura ou lugar alto – Js 11.7
MERIBÁ, hebraico: contenda, águas rebeldes – Nm 20.13
MERIBE-BAAL, hebraico: Baal contende – 1Cr 8.34
MERIBOTE-CADES, hebraico: contendas de Cades – Ez 47.9
MEROTAIM, hebraico: rebelião dupla – Jr 50.21
MEROZ, hebraico: lugar de refúgio – Jz 5.23
MES, hebraico: tirado – Gn 10.23
MESA, hebraico: salvação ou retiro – 1Cr 8.9
MESALOTE, hebraico: subidas, escadas – 1Mac 9.2
MESAQUE, persa: pronto, ativo, quem é Aku, o Deus da lua – Dn 1.7
MESELEMIAS, hebraico: Jeová recompensa – 1Cr 9.21
MESEQUE, hebraico: tirado – Gn 10.2
MESEZABEL, hebraico: Deus liberta – Ne 3.4
MESFAR, hebraico: escrito – Ed 2.2
MESHA, hebraico: retiro, salvação – Gn 10.2
MESILEMITE, hebraico: recompensa – 1Cr 9.12
MESILEMOTE, hebraico: recompensa – 2Cr 28.12
MESOBE, hebraico: restaurado – 1Cr 4.34
MESOBAIA, hebraico: congregação do Senhor – 1Cr 11.46
MESOBALTA, hebraico: congregação do Senhor – 1Cr 11.46
MESOPOTÂMIA, hebraico: terra entre rios – Gn 24.10
MESSA, hebraico: aquisição – 1Cr 8.9
MESSE, hebraico: colheita, ceifa, sega – Lv 19.9
MESSIAS, hebraico: ungido; **grego:** Cristo – Jo 14.1
MESULÃO, hebraico: amigo – 2Rs 22.3
MESULEMETE, hebraico: pagando – 2Rs 21.19
METANI, hebraico: força – 1Cr 11.43
METEGAMA, hebraico: rédeas da metrópole – 2Sm 8.1
METEQUE-AMA, hebraico: tirou a redeas da metrópole – IISm 8.1
METRI, hebraico: chuvoso ou Jeová vigia – 1Sm 10.21
METUSAEL, hebraico: homem de Deus – Gn 4.18
METUSALÉM, hebraico: quando morrer isso virá ou homem amarelo – Gn 5.25
MEUNIM, hebraico: lugar de refúgio – 2Cr 26.7
MAUJAEL, hebraico: destruído de Deus – Gn 4.18

MAUMÃ, aramaico: fiel eunuco – Et 1.10
MEZA, hebraico: temor – Gn 36.13
ME-ZAABE, hebraico: águas de ouro – Gn 36.39
MEZALOTE, hebraico: subidas, escadas – 1Mac 9.2
MIAMIM, hebraico: mão direta – 1Cr 24.9
MIBAR, hebraico: escolha – 1Cr 11.38
MIBSÃO, hebraico: doce aroma – Gn 25.13
MIBZAR, hebraico: fortificação – Gn 36.42
MICA, hebraico: quem é semelhante a Jeová – Jz 17.1
MICAEL, hebraico: quem é como nosso Deus? – Nm 13.13
MICAIA, hebraico: quem é semelhante é Jeová – 2Cr 22.12
MICAÍAS, hebraico: quem é semelhante a Jeová – 2Rs 22.12
MICAIAS, hebraico: quem é semelhante ao Senhor – Ne 12.35
MICAL, hebraico: quem é como Deus – 1Sm 14.49
MICLOTE, hebraico: varas – 1Cr 8.32
MICMÁS, hebraico: escondido longe – 1Sm 13.5
MICMETÁ, hebraico: esconderijo – Js 16.6
MICMETATE, hebraico: esconderijo – Js 16.6
MICNÉIAS, hebraico: possessão de Jeová – 1Cr 15.18
MICOL, hebraico: quem é como Deus – 1Sm 14.49
MICRI, hebraico: valioso ou comprado do Senhor – 1Cr 9.8
MICTÃO, hebraico: inscrição – Sl 16
MIDIÃ, hebraico: contenda – Gn 25.2
MIDIM, hebraico: extensão – Js 15.61
MIFCADE, hebraico: guarda – Ne 3.31
MIGDAL-EL, hebraico: torre de Deus – Js 19.38
MIGDAL-EDER, hebraico: torre de Eder – Js 19.38
MIGDAL-GADE, hebraico: torre da fortuna – Js 15.37
MIGDOL, hebraico: torre – Êx 14.2
MIGROM, hebraico: precipício – 1Sm 14.2
MIGUEL, hebraico: quem é como nosso Deus? – Dn 10.21
MIMAM, hebraico: da dextra, feliz – 1Cr 24.9
MIJAMIM, hebraico: da dextra, feliz – 1Cr 24.9
MILALAI, hebraico: eloqüente – Ne 12.36
MILCA, hebraico: conselho – Gn 11.29
MILCÃ, hebraico: rainha ou conselho – Gn 11.29
MILCOM, hebraico: rei alto – 1Rs 11.5
MILETO, grego: vermelho – At 20.15
MILO, hebraico: terrapleno ou terreno – 2Sm 5.9

MINDO, latim: o mínimo – 1Mac 15.23
MINI, grego: parte, divisão – Jr 51.27
MINIAMIM, hebraico: a mão direita – 2Cr 31.15
MINITE, grego: pequeno ou distribuição – Jz 11.33
MIQUÉIAS, hebraico: quem é semelhante a Jeová? – Mq 1.1
MIQUIOTE, hebraico: varas – 1Cr 8.32
MIRIÃ, grego: Maria, **hebraico:** rebelião – Nm 26.59
MIRMA, hebraico: engano – 1Cr 8.10
MISÃ, hebraico: prontidão – 1Cr 8.12
MISAEL, hebraico: quem é Deus? ou quem é igual a Deus? – Êx 6.22
MISAL, hebraico: oração, sentença – Js 21.30
MISGADE, hebraico: refúgio – Jr 48.1
MISSÃO, hebraico: purificação – 1Cr 8.12
MISIA, hebraico: criminal – At 16.7
MISMA, hebraico: audição – Gn 25.14
MISMANA, hebraico: gordura – 1Cr 12.10
MISPÁ, hebraico: escrito ou torre de vigia – Gn 41.49
MISRAIM, hebraico: defesa, ou terra defendida – Gn 10.6
MISREFOTE-MAIM, hebraico: fogo ou elevação das águas – Js 11.8
MITCA, hebraico: doçura – Nm 33.28
MITILENE, hebraico: pureza ou mutilado – At 20.14
MITREDADE, hebraico: dado por mitra ou dado pelo genio do Sol – Ed 1.8
MIZÁ, hebraico: temor, receio – Gn 36.17
MIZA, hebraico: temor, receio – Gn 36.13
MIZAEL, hebraico: que é igual a Deus – 1Mac 2.59
MIZAR, hebraico: temor – Sl 42.6
MIZPÁ, hebraico: escrito ou torre de vigia – Js 15.38
MIZPAR, hebraico: escrito – Ed. 2.2
MIZRAIM, hebraico: Egito, ou terra roxa – Gn 10.6
MINASOM, hebraico: buscador diligente – At 21.16
MOABE, hebraico: família de um pai, desejo – Gn 19.37
MOADIAS, hebraico: exército de Jeová – Ne 12.17
MOCONA, hebraico: fundação – Ne 11.28
MOCORI, hebraico: comprado do Senhor, valioso – 1Cr 8.9
MODIM, hebraico: advinhos – 1Mac 2.1
MOFE, hebraico: bom lugar – Js 19.13

MOISÉS, hebraico: tirado das águas, **egipcio:** filho de Isis (Deus egipcio) – Êx 2.10
MOLADÁ, hebraico: nascimento, origem – Js 15.26
MOLEOM, hebraico: rei exelso ou pensativo – 1Cr 8.9
MOLIDE, hebraico: o que reina, o rei – 1Rs 11.7
MONTE DA CAVEIRA, grego: Gólgota – Mt 27.33
MORDECAI, persa: homem pequeno – Et 2.5
MORE, hebraico: arqueiro, primeira chuva, mestre – Gn 12.6
MORESETE-GATE, hebraico: possessão de Gate – Mq 1.14
MORIÁ, hebraico: visto por Deus ou escolhido por Deus – Gn 22.2
MOSA, hebraico: fonte, saída – 1Cr 2.46
MOSERÁ, hebraico: prisão, laço – Dt 10.6
MOSEROTE, hebraico: propriedade, possessão – Nm 33.30
MOSEROTE-GATE, hebraico: propriedade de Gate – Mq 1.24
MOSOLON, hebraico: amigo – Ne 3.6
MOOZ, hebraico: conselheiro – 1Cr 2.27
MOZA, hebraico: saída, fonte – 1Cr 2.46
MUPIM, hebraico: ânsias – Gn 46.21
MUSI, hebraico: provado do Senhor – Êx 6.19
MUTE-LABÉM, hebraico: morre pelo filho – Sl 9

N

NAÃ, hebraico: consolação, doçura – 1Cr 4.15
NAABAL, hebraico: louco, ímpio – 1Sm 25
NAALAL, hebraico: pastagem, pasto – Js 19.15
NAALIEL, hebraico: valé, ribeiro de Deus – Nm 21.19
NAALOM, hebraico: pasto – Js 21.35
NAAMÁ, hebraico: agradável, prazer, delícia – Nm 26.40
NAAMÃ, hebraico: doce agradável, prazer – Js 15.41
NAAMANI, hebraico: compassivo – Ne 7.7
NAANE-ADÃ, hebraico: acampamento de Dã – Jz 13.25
NAARÁ, hebraico: donzela, moça – 1Cr 4.5
NAARAI, hebraico: rouquidão ou impetuoso – 1Cr 11.37
NAARATE, hebraico: lugar sem árvores, donzela – Js 16.7
NAAREI, hebraico: filho do Senhor – 1Cr 11.37
NAÁS, hebraico: serpente – 2Sm 17.25
NAASÉIAS, hebraico: obra de Deus – 1Cr 15.18
NAASOM, hebraico: encantador, quem prediz – 1Cr 2.11, RT 4.20
NAATE, hebraico: repouso – Gn 36.13
NABAL, hebraico: sem juízo, tolo, mau, insensato – 1Sm 25.10
NABI, hebraico: escondido – Nm 13.14
NABOTE, hebraico: fruta, abundância – 1Rs 21.1
NABUCODONOZOR, persa: Nebo proteje das desgraças ou defensor dos limites – Jr 21.7
NEBURADÃO, persa: Nebo deu geração – 2Rs 25.8
NACOM, hebraico: pronto, preparado – 2Sm 6.6
NACOR, grego: queimado, secando – Gn 11.22
NADABE, hebraico: liberal, voluntário – Êx 6.23
NAFIS, hebraico: respiração – Gn 25.15
NAFTALI, hebraico: a minha luta ou ganho na peleja – Gn 46.24
NAGAI, grego: esplendor – Lc 3.25

NAIM, hebraico: beleza, **arabe:** delicado – Lc 7.11
NAIOTE(a), hebraico: habitações – 1Sm 19.18
NANSI, grego: vivaz ou separado do Senhor; **hebraico:** Jeová, revela – 2Rs 9.2
NAOME, hebraico: amável, formosa – Rt 1.2
NAOR, hebraico: soprador – Gn 11.22
NAPOLES, latim: cidade nova – At 16.11
NARCISO, latim: abrótea – Rm 16.11
NARIZEU, hebraico: separado – Jz 13.5
NATÃ, hebraico: Ele deu – 2Sm 7.2
NATABATE, hebraico: aspecto – 1Rs 11.26
NATA-MELEQUE, hebraico: o rei deu – 2Rs 23.11
NATANAEL, hebraico: dom de Deus ou Deus tem dado – Nm 1.8
NAUM, hebraico: consolação, compassivo – Lc 3.25
NAZARÉ, hebraico: verdejantes, rebento, guarda – Mt 2.23
NAZARENO, hebraico: da cidade de Nazaré, separado, consagrado a Deus – Mt 2.23
NAZÍAS, hebraico: vitorioso – Ne 7.56
NEÁ, hebraico: emoção – Js 19.13
NEÁPOLIS, grego: cidade nova – At 16.11
NEARIAS, hebraico: Jeová sacudiu – 1Cr 3.22
NEBAI, hebraico: fruto do Senhor – Ne 10.19
NEBAIOTE, hebraico: lugares altos – Gn 36.3
NEBALATE, hebraico: loucura secreta, duro, firme – Ne 11.34
NEBATE, hebraico: aspecto – 1Rs 11.26
NEBO, arabico: elevação – Is 46.1
NEBUCADREZAR, persa: o mesmo que Nabucodonozor – Jr 21.7
NEBUSAZBÃ, persa: Nebo, salva-me ou Nebo me liberta – Jr 39.13
NEBUZADÃO, persa: Nebo tem dado semente ou Nebo deu geração – 2Rs 25.18
NEBUZARADA, persa: Nebo deu geração – 2Rs 25.8
NÉCO, hebraico: o coxo – 2Rs 23.29
NECODA, hebraico: pastor – Ed 2.48
NEDABÍAS, hebraico: Jeová é liberal – 1cr 3.18
NEEMIAS, hebraico: Jeová conforta ou consola – Ed 2.2
NEFEQUE, hebraico: renôvo – Êx 6.21

NEFTÔA, hebraico: abertura – Js 15.9
NEFUSIM, hebraico: dilatados – Ed 2.50
NEGINOTE, hebraico: instrumento de corda – Sl 4
NEGUEBE, hebraico: seco – Dt 1.7
NEIEL, hebraico: abalado por Deus – Js 19.27
NEILOTE, hebraico: herança – Sl 5
NEMUEL, hebraico: circundado por Deus, ou Deus espalha – Nm 26.9
NER, hebraico: lâmpada – 1Sm 14.50
NEREU, grego: uma luz – Rm 16.15
NERGAL, persa: planeta marte, ou herói – 2Rs 17.30
NERGAL-SAREZER, persa: Nergal protege o rei – Jr 39.3
NERGEL, persa: planeta marte, ou herói – 2Rs 17.30
NERI, hebraico: minha luz – Lc 3.27
NERIAS, hebraico: Jeová é luz ou lâmpada de Jeová – Jr 32.12
NERLOTE, hebraico: instrumento de sopro, cabeçario de alguns salmos
NERO, latim: forte, não aparece na bíblia, porém em atos é este cesar que Paulo apela – At 25.11
NESIAQUE, hebraico: vitorioso – Ed 2.54
NETAIM, hebraico: plantações – 1Cr 4.23
NETANEL, hebraico: Deus deu – Nm 1.8
NETANEUS, hebraico: dado – Ed 8.20
NETANIAS, hebraico: Jeová deu ou tem dado – 1Cr 25.2
NETANO, hebraico: Ele deu – 2Sm 7.1-17
NETOFA, hebraico: gotejante – Ed 2.22
NEUM, hebraico: consolação – Ne 7.7
NEUSTA, hebraico: bronze – 2Rs 24.8
NEZIÁ, hebraico: puro brilhante, ilustre – Ed 2.54
NEZIAS, hebraico: vitorioso, brilhante – Ed 2.54
NEZIBE, hebraico: estátua, ídolo – Js 15.43
NIBAZ, hebraico: senhor das trevas – 2Rs 17.31
NIBSÃ, hebraico: brando, solo, plano – Js 15.62
NICANOR, grego: conquistador, vitorioso – At 6.5
NICODEMOS, hebraico: conquistador do povo – Jo 3.1
NICOLAU, hebraico: vitorioso sobre o povo – At 6.5
NICÓPOLIS, grego: cidade da vitória – Tt. 3.12
NICOLAS, grego: vitória do povo – At 6.5
NIGELA, hebraico: endro – Is 28.25

NIGER, latim: preto – At 13.1
NIGINOTE, hebraico: insturmento de corda
NILO, hebraico: túrbido – Is 23.3
NIMRÁ, hebraico: água límpida e salubre – Nm 32.3
NINFAS, grego: água das musas ou água nupcial – Cl 4.15
NINIVE, hebraico: habitação de Nina – Gn 10.11
NINRIM, hebraico: águas claras – Is 15.6
NINRODE, hebraico: rebelde – Gn 10.8
NINSI, grego: vivaz ou separado do Senhor; **hebraico:** Jeová revela – 2Rs 9.2
NISÃ, primeiro mês do ano, março, abril; princípio, abertura – Ne 2.1
NISROQUE, persa: águia – 2Rs 19.37
NÔ, hebraico: cidade de Amom, o mesmo que Tebas – Jr 46.25
NO-AMOM, hebraico: cidade do Deus Amom – Jr 46.25
NOÁ, hebraico: descanso, movimento – Js 17.3
NOA, hebraico: andante, vagabundo – 1Cr 8.2
NOADIAS, hebraico: encontro com Jeová ou Jeová encontrou – Ed 8.33
NOBÁ, hebraico: uivando, latindo – Nm 32.42
NOBAL, hebraico: fruto do Senhor – Ne 10.19
NOBEL, hebraico: altura, elevação – 1Sm 21.1
NODABE, hebraico: nobreza – 1Cr 5.19
NODE, hebraico: exílio – Gn 4.16
NOÉ, hebraico: repouso, consolo – Gn 5.32
NOEMA, hebraico: agradável, doce – Gn 4.22
NOEMI, hebraico: amável, formosa – Rt 1.2
NOFA, hebraico: brisa ou bom lugar – Nm 21.30
NOFE, hebraico: bom lugar – Is 19.13
NOGA, hebraico: brilhantíssimo ou esplendor – 1Cr 3.7
NUM, hebraico: fecundidade, peixe – Êx 33.11
NÚMEROS, quarto livro do pentateuco
NUN, 10ª letra do alfabeto hebrico, peixe – Sl 119.105

O

OADE, hebraico: unido, poderoso – Gn 46.10
OBADIAS, hebraico: que adora a Jeová – 1Rs 18.3
OBAL, hebraico: corpulência – Gn 10.28
OBEDE, hebraico: adorador, servo do Senhor – Rt 4.21
OBEDE-EDOM, hebraico: servo de Edom ou o que serve Edom – 2 Sm 6.11
OBEL, hebraico: tenda – 1Cr 3.20
OBIL, hebraico: guarda de camelo – 1Cr 27.30
OBIDIA, hebraico: que adora Jeová – 1Cr 9.16
OBOTE, hebraico: odres – Nm 21.10
OCOZIAZ, hebraico: Jeová tem sustentado – 2Cr 22.1
OCRÃ, hebraico: pertubado – Nm 1.13
OCRÃO, hebraico: perturbado – Nm 1.13
ODEDE, hebraico: ele restaurou – 2Cr 1.5
ODIAS, hebraico: louvor do Senhor - 1Cr 4.19
ODIEL, hebraico: força de Deus – Êx 6.18
ODOIAS, hebraico: a glória do Senhor – 1Cr 5.24
ODOLAM, hebraico: recinto fechado – 1Cr 11.15
ODOLÃO, hebraico: recinto fechado – 1Cr 11.33
ODUIA, hebraico: a sua gloria é o Senhor – I Cr 5.24
OEL, hebraico: tenda – 1Cr 3.20
OFAL, hebraico: justificação – 1Cr 2.37
OFAZ, hebraico: ilha de ouro – Jr 10.9
OFEL, hebraico: elevação, outeiro – Ne 3.26
OFIA, hebraico: um veado, povoação – 1Cr 4.14
OFIR, hebraico: abundância – Gn 10.29
OFLAL, hebraico: justificação – 1Cr 2.37
OFNI, hebraico: bolorento – Jr 18.24
OFRA, hebraico: um veado, povoação – 1Cr 4.14
OGUE, hebraico: um sulco, gigantesco – Dt 3.4
OLÁ, hebraico: julgo – 1Cr 7.39

OLIMPAS, grego: celestial – Rm 16.15
OLIMPIA, grego: celestial, o céu – Rm 16.15
OLIMPICO, grego: derivado de Olimpio – IIMac 6.2
OLIVAL, hebraico: Monte das Oliveiras – At 1.12
OLOM, hebraico: lugar forte, muito areiento – Js 15.51
OM, hebraico: fortaleza – Nm. 16.1
OMAR, hebraico: superior – Gn 36.11
OMRAI, hebraico: impectuoso, grosseiro – 1Cr 9.4
ÔMEGA, última letra do alfabeto grego, ou final – Ap 21.6
ONÃ, hebraico: forte, o que fala, **arábe:** o supremo – Gn 36.23
ONÃO, hebraico: vaidade iniquidade – Gn 36.23
ONESÍFORO, grego: portador de vantagem – 2Tm 1.16
ONÉSIMO, grego: útil, proveitoso – Cl 4.9
ONO, hebraico: forte – 1Cr 8.12
ONRI, hebraico: impetuoso, grosseiro – 1Rs 16.23
OOL, hebraico: tenda – 1Cr 3.20
OOLÁ, hebraico: sua tenda – Ez 23.4
OOLIBA, hebraico: a minha tenda está nela – Ez 23.4
OOLIBAMA, hebraico: a minha tenda esta em lugar alto – Gn 36.2
OOLOBÁ, hebraico: a minha tenda está nela – Ez 23.4
OREBE, hebraico: corvo – Jz 7.25
OREM, hebraico: pinheiro, fortaleza, alto – 1Cr 2.25
ORFA, hebraico: pescoço, juba, vigor juvenil – Rt 1.4
ORIENTE, nascentes – Gn 13.11
ORIOM, hebraico: homem sem juízo, um arado – Jo 9.9
ORNÃ, hebraico: grande pinheiro – 1Cr 21.15
ORONAIM, hebraico: cidade de duas cavernas – Is 15.5
OSÉIAS, hebraico: salvação ou salvo – Nm 13.16
OSNAPAR, hebraico: veloz – Ed 4.10
OTEI, hebraico: proveitoso – 1Cr 9.4
OTIR, hebraico: quem não tem medo – 1Cr 25.4
OTNI, hebraico: leão de Deus – 1Cr 26.7
OTNIEL, hebraico: Deus é força ou leão de Deus – Jz 1.13
OUSAMA, hebraico: Deus ouve – 1Cr 3.18
OUTEIRO-DE-AMÃ, hebraico: fundição – 2Sm 2.24
OUTEIRO DE MIZAR, hebraico: pequeno – Sl 42.6
OZA, hebraico: porção – 2Sm 6.3

OZÃ, hebraico: forte – Nm 34.25

OZAZIAS, hebraico: Jeová é forte – 1Cr 15.21

OZAZIU, hebraico: Jeová é forte – 1Cr 15.21, Zc 14.5

OZÉM, hebraico: forte – 1Cr 2.15

OZIAS, hebraico: força do Senhor – 1Cr 26.5

OZIAU, hebraico: consolador do Senhor – 1Cr 24.26

OZNI, hebraico: atento – Nm 26.16

P

PAARAI, hebraico: rouquidão – 2Sm 23.35
PAATE, hebraico: governador – Ed 2.6
PAATE-MOABE, hebraico: governador de Moabe – Ed 2.6
PADÃ, hebraico: planície – Gn 48.7
PADÃ-ARÃ, hebraico: planície de Arã – Gn 25.20
PADÃ-HARÃ, hebraico: uma planície pertencente a Harã – Gn 25.20
PADOM, hebraico: liberdade – Ed 2.44
PÁFOS, latim: que ferve – At 13.6
PAGIEL, hebraico: encontro com Deus – Nm 1.13
PAÍ, hebraico: primogenitor – 1Cr 1.50
PALAL, hebraico: juiz, julgador – Ne 3.25
PALESTINA, latim: terra dos Filisteus ou peregrinações
PALETE, hebraico: casa de fuga - Js 15.27
PALMIRA, grego: admiração – 2Cr 8.4
PALTI, hebraico: libertado por Deus – Nm 13.9
PALTIEL, hebraico: salvação por Deus ou libertação de Deus – Nm 34.26
PALU, hebraico: notável – Gn 46.9
PANAGUE, hebraico: doce – Ez 27.17
PANFÍLIA, latim: nação composta de todas as tribos – At 2.10
PARÃ, hebraico: região das cavernas – Gn 21.21
PARÁ, hebraico: vitela – Js 18.23
PARBAR, hebraico: colunada, átrio – 1Cr 26.18
PÁRMENAS, grego: firme, fiel, que permanece - At 6.5
PARNA, grego: muito ágil – Nm 34.25
PARNAQUE, grego: muito ágil – 34.25
PARÓS, hebraico: pulga – Ed 2.3
PARSANDATA, persa: nascimento nobre – Et 9.7

PARSIM, aramaico: plural de Mene, acabou o teu reino – Dn 5.25
PARTOS, persa: desterados – At 2.9
PARÚA, hebraico: florescente – 1Rs 4.17
PASEÃ, hebraico: coxo – Ne 3.6
PÁSCOA, hebraico: passagem – Êx 12.23
PAS-DAMIM, grego: costa de Damim – 1Cr 11.13
PARVAIM, mesmo que Ofir; regiões orientais – 2Cr 3.6
PASA, hebraico: rasgado – 1Cr 7.33
PASAQUE, hebraico: partidor – 1Cr 7.33
PASÉIA, hebraico: coxo – 1Cr 4.12
PASTOR, latim: homem que apascenta rebanho de ovelhas – Sl 23
PASUR, hebraico: mui nobre – Ed 2.38
PÁTARA, hebraico: pisado – At 21.1
PÁTMOS, grego: mortal – Ap 1.9
PATRÍCIO, latim: conterrâneo – 2Co 11.26
PÁTROBNAS, grego: paternal – Rm 16.14
PÁTROS, hebraico: casa da deusa Hator Sul – Jr 44.1
PATRUSIM, hebraico: habitantes de Patros – Gn 10.14
PAU, hebraico: balido ou gritando – Gn 36.39, Dn 36.36
PAULO, grego: pequeno, pouco – At 13.1
PAUTAI, hebraico: obra do Senhor – 1Cr 26.5
PECÁ, hebraico: olhos abertos - 2Rs 15.25
PECAÍAS, hebraico: Jeová abriu os olhos – 2Rs 15.22
PECODE, hebraico: castigo – Ez 23.23
PEDAEL, hebraico: Deus salvou – Nm 34.28
PADAÍAS, hebraico: Jeová remiu ou Jeová tem salvo – 2Rs 23.36
PEDAZUR, hebraico: rocha, Deus tem salvo – Nm 1.10
PEDRO, grego: pedra, **grego:** rocha – Jo 1.42
PELAÍAS, hebraico: Jeová ilustre – 1Cr 3.24
PELALAIAS, hebraico: Jeová julgou – Ne 11.12
PELATIAS, hebraico: Jeová libertou – Ne 10.22
PELEGUE, hebraico: divisão – Gn 10.25
PELETE, hebraico: libertação, velocidade – Nm 16.1
PENIEL, hebraico: a face de Deus – Gn 32.30
PENINA, hebraico: coral – 1Sm 1.2
PENTECOSTE, grego: qüinquagésimo – At 2.1

PENUEL, hebraico: a face de Deus – Jz 8.8
PEOR, hebraico: fenda ou abertura – Nm 25.18
PERAZIM, hebraico: brechas – Is 28.21
PERÉIA, hebraico: terra de além – Mt 4.15
PERES, hebraico: singular de Parsim – Dn 5.28
PEREZ, hebraico: separação, distinção, brecha – Gn 46.12
PEREZ-UZÁ, hebraico: brecha de Uzá ou castigo de Uza – 1Cr 13.11
PERFÍDIA, hebraico: deslealdade, traição – Jr 3.20
PERIDA, hebraico: separado – Ne 7.57
PERIZEUS, hebraico: aldeões – Js 1.4
PÉRGAMO, grego: cidadela, burgo – Ap 2.12
PERGE, grego: mui mundano, cidadela ou burgo – At 13.13
PERSÉPOLIS, grego: cidade de Perseu – II Mac 9.2
PERSEU, grego: destruir, arquear, aniquilar – Ed 5.57
PÉRSIA, grego: que corta ou destrói, o que saqueia – 2Cr 36.20
PERSIS, grego: que corta, destrói – Rm 16.12
PÉRSIDE, grego: – Rm 16.12
PERUDA, grego: separada ou eminente – Ed 2.55
PETAÍAS, hebraico: Jeová abre, ou libertou – 1Cr 24.16
PETAQUIAS, hebraico: solto do Senhor – Ne 11.24
PETOR, hebraico: abertura – Nm 22.5
PETUEL, hebraico: nobre disposição de Deus – Jl 1.1
PEULETAI, hebraico: laborioso ou obra do Senhor – 1Cr 26.5
PEULTAI, hebraico: obra do Senhor – 1cr 24.5
PI-BESETE, egípcio: habitação da Deusa Bast – Ez 30.17
PI-HAIROTE, egípcio: lugar de juncos ou cara de carniços – Êx 14.2
PILA, hebraico: servidão – Ne 10.24
PILATOS, latim: armado com um dardo ou chapéu dois escravos, libertador – Mt 27.2
PILDAS, hebraico: lâmpada de fogo – Gn 22.22
PILÉIA, hebraico: servidão ou culto – Ne 10.24
PILHAS, hebraico: fatia – Ne 10.24
PILTAI, libertação do Senhor – Ne 12.17
PINOM, hebraico: distração – Gn 36.41
PIRA, latim: fogueira, cadáveres – Is 10.33, Ez 24.10
PIRÃO, hebraico: asno montês – Js 10.3
PIRATOM, grego: vingança justa ou juiz – Jz 12.15

PIRRO, latim: fogo, **grego:** que tem cabelo avermelhado – At 20.4

PISGA, hebraico: divisão, ou rocha fendida – Dt 34.1

PISIDIA, grego: pixé – At 13.14

PISON, hebraico: grande difusão de água – Gn 2.11

PISPA, hebraico: dispersão – 1cr 7.38

PITOM, egípcio: morada de Tum (deus egípcio) ou lugares cercado – Êx 1.11

PLÊIDES, sete estrela – Jó 38.3

PODEROSO, hebraico: Shadai, forte – Gn 10.8

POLUX, grego: astro, constelação boreal ou deus estrela – At 28.11

PÔNCIO, latim: amante de carne de porco – Mt 27.2

PÔNCIO FESTO, latim: festivo, alegre, jubiloso – At 24.27

PÔNCIO PILATOS, latim: armado com um dardo – Mt 27.2

PONTO, grego: o mar – At 2.9

POQUERETE, hebraico: que enreda – Ed 2.57

POQUERETE-HAZEBAIM, hebraico: caçando gazela – Ed 2.57

PORATA, hebraico: que tem muitos carros ou ornamento – Et 9.8

PORUDÁ, hebraico: espalhada – Ed 2.55

POTÉOLI, grego: poços pequeninos – At 28.13

POTIFAR, egípcios: que pertence ao sol ou promessa de touro – Gn 37.36

POTIFÉRA, egípcio: que pertence ao sol ou sacerdote – Gn 41.45

PRETÓRIO, hebraico: pertencente ao pretor – Mc 15.16

PRISCA, hebraico: velha ou antiga – At 18.2 e 2Tim 4.19

PRÍSCILA, hebraico: velha ou antiga – At 18.2

PROCÓPIO, grego: mestre de coro, o que ganha – At 6.5

PRÓCORO, grego: mestre de coro – At 6.5

PROVÉRBIOS, latim: coleção máxima

PTOLEMAIDA, egípcio: cidade de Ptolomeu – Jz 1.31

PTOLOMEU, grego: guerreiro, religioso – 2Mac 1.1-5

PUA, hebraico: luz – Jz 10.1

PÚBLIO, latim: comum público – At 28.7

PUDENS, hebraico: vergonhoso – 2Tm 4.21

PUDENTE, hebraico: vergonhoso – 2Tm 4.21

PUL, hebraico: como elefante ou forte – 2Rs 15.19

PUNON, hebraico: neblina ou obscuridade – Nm 33.42

PUR, persa: sorte – Et 3.7
PURA, hebraico: ramo – Jz 7.10
PURIM, persa: sorte – Et 3.7
PUTE, hebraico: extensão – Gn 10.6
PUTEOLI, hebraico: abundância em poços – At 28.13
PUTIEL, hebraico: afligido por Deus – Êx 6.25
PUVA, hebraico: luz – Gn 46.13
PUZZOLO, hebraico: abundância em poços – At 28.13

Q

QUARTO, hebraico: um quarto filho – Rm 16.23
QUEBAR, hebraico: abundante – Ez 1.1
QUEDAR, hebraico: poderoso, homem moreno – Gn 25.13
QUEDEMÁ, hebraico: para o oriente – Gn 25.15
QUEDEMOTE, hebraico: princípios ou lugar santo – Js 13.18
QUEDES, hebraico: santuário – Js 15.23
QUEDMA, hebraico: para o oriente – 1Cr 1.31
QUEDORLAOMER, elamita: servo de Deus Lagamar – Gn 14.4
QUEELATA, hebraico: assembléia – Nm 33.22
QUEFAR-ARMONAI, hebraico: cidade de Amonai ou aldeia dos amonitas – Js 18.24
QUEFIRA, hebraico: aldeia coberta, expiação – Js 18.26
QUEILA, hebraico: fortaleza, castelo – Js 15.44
QUELAI, hebraico: consumação, perfeição – Ed 10.30
QUELAÍAS, hebraico: anão – Ed 10.23
QUELAL, hebraico: consumação – Ed 10.30
QUELITA, hebraico: congregação do Senhor – Ed 10.23
QUELUBAI, hebraico: gaiola de pássaros – 1Cr 2.9
QUELUBE, hebraico: gaiola de pássaros ou certo enganador – 1cr 4.11
QUELUI, hebraico: consumido do Senhor – Ed 10.35
QUELULAI, hebraico: ousado – Nm 13.6
QUEMÓS, hebraico: dominador – Nm 21.29
QUEMUEL, hebraico: congregação de Deus – Gn 22.21
QUENÃ, hebraico: possuidor – Gn 5.9
QUENAANÁ, hebraico: posse – 1Cr 7.10
QUENANI, hebraico: aperfeiçoador – ne 9.4
QUENANIAS, hebraico: Jeová é firme – 1Cr 26.29
QUENATE, hebraico: possessão – Nm 32.42
QUENAZ, hebraico: caçada – Gn 36.11

QUENE, hebraico: distinguido – Ez 27.23
QUENÉDOTE, hebraico: princípio – Ez 27.23
QUENEU, hebraico: possessão, criatura, fundidor – Nm 24.22
QUENEZEU, hebraico: salvo de uma vez – Gn 15.19
QUENEZUI, hebraico: caçador – Nm 32.12
QUENUEL, hebraico: congregação de Deus – Gn 22.21
QUERÃ, hebraico: cítara, alaúde – Gn 36.26
QUEREM-HAPUQUEM, hebraico: vaso de antimônio ou corno da tinta – Jo 42.14
QUERETE, hebraico: separação, trincheira – 1Sm 22.5
QUERITE, hebraico: cidade – 1Rs 17.3
QUERITE-JEARIM, hebraico: cidade dos bosques – Js 9.17
QUERIOTE-HESROM, hebraico: cidade de preso – Js 15.25
QUERIOTE-HUZOTE, hebraico: cidade de ruas – Nm 22.39
QUERIUM, hebraico: imagem – Am 5.26
QUEROGRILO, hebraico: escondedor – Lv 11.5
QUEROS, hebraico: braço de tear – Ed 2.44
QUERUBE, hebraico: celestial – Ne 7.61
QUERUBIM, hebraico: celestial, Deus é louvado – Gn 3.24
QUESALOM, hebraico: esperança – Js 15.10
QUESEDE, hebraico: aumento de posteridade – Gn 22.22
QUESIBE, hebraico: mentiroso – 1Cr 13.9
QUESIL, hebraico: tolo – Js 15.30
QUESION, hebraico: firme confiança, esperança – Is 15.10
QUESLOM, hebraico: firme, confiança, esperança – Js 19.18
QUESLON, hebraico: firme, confiança, esperança – Is 15.10
QUESULOTE, hebraico: confiança, ou lombos – Js 15.10
QUETURA, hebraico: incenso – Gn 25.1
QUEZIA, hebraico: canela ou casela – Jó 42.14
QUEZIBE, hebraico: mentiroso – 1Cr 13.9
QUIBROTE-ATAAVÁ, hebraico: sepulcros da concupiscência – Nm 11.34
QUIBROTE-HATAAVA, hebraico: sepulcros da concupisciência – Nm 11.34
QUIBROTE-TAAVA, hebraico: sepulcros da concupiciência – Nm 11.34
QUIDÃO, hebraico: grande destruição – 1Cr 13.9
QUIDOM, hebraico: dardo – 1cr 13.9
QUILIABE, hebraico: 2º filho de Davi, tem o nome de Daniel – 2Sm 3.3

QUILIOM, hebraico: definhamento ou ruina acabada – Rt 1.2
QUILMADE, hebraico: fortaleza – Ez 27.23
QUIMÃ, hebraico: anelo ou canção matinal – 2Sm 19.37
QUINÁ, hebraico: canção matinal – Is 15.22
QUINERETE, hebraico: harpa, alaude – Js 19.35
QUINEROTE, hebraico: harpa – Js 19.35
QUIOS, hebraico: aberto, abertura – At 20.15
QUIR, hebraico: cidade forte – Am 9.7
QUIR DE MOABE, hebraico: cidade forte de Moabe – Is 15.1
QUIR-HARASETE, hebraico: cidade de tijolo – 2Rs 3.25
QUIR-HESE, hebraico: cidade de tijolo – Is 16.11
QUIR-HERES, hebraico: cidade de tijolo – Is 16.11
QUIRIATAIM, hebraico: cidade dupla ou cidade gêmeas – Nm 32.37
QUIRIATE, hebraico: cidade – Js 18.28
QUIRIATE-ARBA, hebraico: cidade de Arba opu cidade de quartos – Js 15.54
QUIRIATE-ARIM, hebraico: cidade dos bosques – Ed 2.25
QUIRIATE-BAAL, hebraico: cidade de Baal – Js 15.60
QUIRIATE-HEZROM, hebraico: cidade de Hezrom ou cidade de preso – Js 15.25
QUIRIATE-HUZOTE, hebraico: cidade de ruas – Nm 22.39
QUIRIATE-JEARIM, hebraico: cidade dos bosques – Js 9.17
QUIRIATE-SANA, hebraico: cidade de Sana – Js 15.49
QUIRIATE-SEFER, hebraico: cidade de Sefer ou cidade de um oráculo – Lc 2.2
QUIRIOTE, hebraico: cidades – Js 15.25
QUIRITAIM, hebraico: cidade dupla – 1Cr 6.76
QUIS, hebraico: poder – 1Sm 9.1
QUISI, hebraico: laço do Senhor – 1Cr 6.44
QUISIOM, hebraico: dureza – Js 19.20
QUISLEU, hebraico: o 9º mês do ano hebraico, confiança ousadia – Zc 7.1
QUISLOM, hebraico: esperança – Nm 34.21
QUISLOTE-TABOR, hebraico: confiança de Tabor – Js 19.2
QUISOM, hebraico: sinuoso, tortuoso – Jz 4.7
QUITIM, hebraico: vencedores, escondidos – Nm 24.24
QUITLIS, parede de homem – Js 15.40
QUITROM, nodoso, pequeno – Jz 1.30
QUIUM, imagem, estátua – Am 5.26

R

RAABE, hebraico: insolência, largo, ferocidade – Js 2.3

RAAMÃ, hebraico: tremor – Gn 10.7

RAAMIS, hebraico: trovão do Senhor – Ne 7.7

RAÃO, hebraico: compaixão – 1Cr 2.44

RABÁ, hebraico: capital ou grande – Js 15.60

RABE-MAGUE, persa: chefe dos magos, ou comandante – Jr 39.3

RABE-SARIS, hebraico: principal eunuco – 2Rs 18.17

RABI, hebraico: mestre – Js 1.38

RABITE, hebraico: multidão – Js 19.20

RABÔNI, hebraico: meu mestre – Jo 20.16

RABSAQUE, hebraico: chefe dos príncipes, ou general – 2Rs 18.17

RACA, hebraico: vil, desprezível – Mt 5.22

RACABE, hebraico: cavalheiros – Mt 1.5

RACAL, hebraico: negociante – 1Sm 30.29

RACATE, hebraico: praia – Js 19.35

RACOM, hebraico: escassos, praia – Js 19.46

RADAI, hebraico: subjulgado – 1Cr 2.14

RAEMA, hebraico: filho de aflição – 2Sm, 4.2

RAFA, hebraico: gigante – 1Cr 8.2

RAFAEL, hebraico: Deus curou – 1Cr 26.7

RAFAIAS, hebraico: Deus curou – 1Cr 3.21

RAFU, hebraico: curado – Nm 13.9

RAGAÚ, hebraico: amigo – Lc 3.35

RAGES, hebraico: amigável – Tb 1.10

RAGUEL, hebraico: manso como ovelha ou amigo de Deus – Tb 7.1

RAMÁ, hebraico: lugar alto ou altura – Js 18.25

RAMATAIM, hebraico: alturas gêmeas – 1Mac 11.34

RAMATAIM-ZOBIM, hebraico: alturas gêmeas dos sofistas – 1Sm 1.1
RAMATE, hebraico: lugar ou monte – Js 19.21
RAMATE-LEI, hebraico: lugar alto da queixada – Jz 15.17
RAMATE-MISPA, hebraico: monte da torre de vigia – Js 13.26
RAMESSÉS, egipcio: filho de Rã, ou filho do sol – Gn 47.11
RAMIS, hebraico: Jeová é exaltado ou colocado pelo Senhor – Ed 10.25
RAMOTE, hebraico: altura – 1Cr 6.73
RAMOTE-GILEADE, hebraico: altura der Gileade – 2Rs 8.28
RÃO, hebraico: exaltado – Rt 4.19
RAQUEL, hebraico: ovelha – Gn 29.6
RASON, hebraico: firme estável – 2Rs 15.37
RAZIM, hebraico: firme, estável – 2Rs 15.37
RAZO, hebraico: o princípio – 1Rs 11.23
REABIAS, hebraico: Jeová é compreensivo – 1Cr 23.17
REAÍAS, hebraico: Jeová tem visto – 1Cr 4.2
REBA, hebraico: quarta parte ou rebento – Js 13.21
REBECA, hebraico: corda com laço, isto é, donzela cuja beleza prende os homens – Gn 24.15
REBLA, hebraico: multidão – Nm 34.11
RECA, hebraico: cavaleiro ou companheiro – 2Sm 4.2
REELAÍAS, hebraico: temor de Deus ou tremor causado por Jeová – Ed 2.2
REFA, hebraico: riquezas – 1Cr 7.25
REFAEL, hebraico: Deus curou – 1Cr 26.7
REFAÍAS, hebraico: sarado pelo Senhor – Ne 3.9
REFAINS, hebraico: gigantes – Dt 2.20
REGEM, hebraico: amigo – 1Cr 2.47
REGEM-MELEQUE, hebraico: amigo do rei – Cz 7.2
RÉGIO, hebraico: cativo – At 28.13
REI, hebraico: amigável – 1Rs 1.8
REIAS, hebraico: visão do Senhor – 1Cr 5.5
REIS, livro da história dos reis
REMALIAS, hebraico: Jeová adornou – 2Rs 15.25
REMATE, hebraico: lugar alto – Js 19.21
REMETE, hebraico: lugar alto – Js 19.21
RENFÃ, hebraico: riquezas – At 7.43
RENÔVO, hebraico: rebento – Is 4.2

REOBE, hebraico: espaços largos ou aberto – Nm 13.21
REOBOÃO, hebraico: engrandeço o povo – 1Rs 11.43
REOBOTE, hebraico: lugares amplos – Gn 26.22
REOBOTE-IR, hebraico: espaços largos da cidade – Gn 10.11
REQUÉM, hebraico: amizade – Nm 31.8
RESA, hebraico: vontade – Lc 3.27
RESEFE, hebraico: flama – 1Cr 7.25
RESEM, hebraico: freio ou fortaleza – Gn 10.12
RESIAS, hebraico: satisfação – 1Cr 7.39
RESIM, hebraico: firme, estável – 2Rs 15.37
RESON, hebraico: rebento – Nm 31.8
RESSA, hebraico: orvalho, chuva, montão de ruínas – Nm 33.21
RETO, hebraico: livro dos justos – 2Sm, 1.18
RÉU, hebraico: amador – Gn 11.18
REUEL, hebraico: excelência ou amigo de Deus – Gn 36.4
REUL, hebraico: invocado de Deus – Nm 1.14
REUM, hebraico: amador – Ed 2.2, Ed 4.8
REUMÃ, hebraico: exaltada – Gn 22.24
REZÉ, hebraico: firme, estável – 2Rs 15.37
REZEFE, hebraico: pavimento ou pedra do lar que servia de fogão – 2Rs 19.12
RÉZIA, hebraico: satisfação – 1Cr 7.39
REZIM, hebraico: firme, estável – Ed 2.48
REZOM, hebraico: importância – 1Rs 11.23
REXE, 20ª letra do alfabeto hebraico, cabeça – Sl 119.153
RIBAI, hebraico: contencioso – 2Sm 23.29
RIBLA, hebraico: fertilidade – 2Rs 23.33
RIFÁ, hebraico: um terror – Gn 10.3
RIFADIM, hebraico: escoras, largueza – Êx 17.8
RIFATE, hebraico: um terror – Gn 10.3
RIFIDIM, hebraico: escoras, largueza – Êx 17.8
RIMOM, hebraico: trovejador, muito alto – Js 15.32
RIMOM-PEREZ, hebraico: Romã da fenda – Nm 33.19
RINA, hebraico: grito selvagem – 1Cr 4.20
RIPA, hebraico: um terror – Gn 10.3
RISPA, hebraico: pedra quente, orvalho – 2Sm 21.8
RISSA, hebraico: orvalho, chuva – Nm 33.21
RITMÁ, hebraico: vassoura – Nm 33.18
RIZIA, hebraico: deleite – 1Cr 7.39

ROBOÃO, hebraico: Ele faz o povo aumentar ou o povo cresce – 1Rs 14.31
RODAMIM, hebraico: chefe – Gn 10.3
RODE, grgo: roseira – At 12.13
RODES, grego: rosa – At 21.1, 1Mac 15.23
ROODIA, hebraico: Jeová é compreensivo – 1Cr 24.31
ROEGA, hebraico: chuva abundante – 1Cr 7.34
ROGA, hebraico: clamor – 1Cr 7.34
ROGEL, hebraico: fonte – Js 15.7
ROGELIM, hebraico: fonte do pisoeiros ou espias – 2Sm 17.27
ROMA, grego: força – At 18.2
ROMANOS, habitantes de Roma (carta de Paulo) – At 2.10
ROMANTI-EZER, hebraico: prestei alto auxílio – 1Cr 25.4
ROMELIA, hebraico: adornado do Senhor – 2Rs 15.25
RÔS, hebraico: príncipe ou chefe – Gn 46.21
RUAMÃ, ela alcançou misericórdia – Os 2.1
RUBEM, hebraico: eis um filho ou leão **egipcio:** sol brilhante, **latim:** avermelhado – Gn 29.32
RUBRO, latim: vermelho vivo – Mt 16.2
RUFO, latim: vermelho – Mc 15.21
RUMA, hebraico: altura – 1Rs 23.36
RUTE, hebraico: vistosa, beleza, amiga – Rt 1.4

S

SAABIM, hebraico: lugar de raposas – 1Sm 9.4
SAAFE, hebraico: bálsamo – 1Cr 2.47
SAALABIM, hebraico: raposa – Js 19.42
SAALIM, hebraico: raposa – 1Sm 9.4
SAANIM, hebraico: grandes migrações, partidas – Js 4.11
SAARAIM, hebraico: dupla nascente, duas portas – 1Cr 8.8
SAASGAZ, persa: servo do belo – Et 2.14
SAAZIMA, hebraico: lugares altos - Js 19.22
SABÁ, hebraico: juramento – Gn 10.28
SABAOTE, hebraico: exércitos – Is 6.5
SABARIM, hebraico: abertura, ruínas – Js 7.5
SABETAI, hebraico: pertencente ao sábado – Ed 10.15
SABOCAI, hebraico: bosque ao Senhor – 1Cr 11.29
SABTÁ, hebraico: rompendo – Gn 10.7
SABTECÁ, hebraico: batendo – Gn 10.7
SACAR, grego: mercadoria, **hebraico:** ordenado pago – 1Cr 11.35
SACUR, atento – Nm 13.4
SADE, hebraico: 18ª letra do alfabeto hebraico, gafanhoto – Sl 119.137
SADOQUE, hebraico: justo, reto – Mt 1.14
SADRAQUE, persa: decreto do deus lua, ou pequeno amigo do Rei – Dn 1.7
SAFÃ, hebraico: texugo – 1Cr 5.12
SAFATE, hebraico: ele julgou – Nm 13.5
SAFE, hebraico: limiar ou bacia – 2Sm 21.18
SAFER, hebraico: beleza – Nm 33.23
SAFIR, hebraico: bela – Mq 1.11
SAFIRA, hebraico: formosa ou beleza – At 5.1
SAFON, hebraico: vento do norte ou escondido – Js 13.27

SAGE, hebraico: errante – 1Cr 11.34
SAIRATE, hebraico: animal peludo – Jz 3.26
SAL, cloreto de sódio, graça – Jö 6.6
SALÁ, hebraico: arremesso, missivo – Gn 10.24
SALAH, hebraico: extensão – Gn 10.24
SALAI, hebraico: levantado pelo Senhor ou recusador – Ne 12.20
SALAMINA, grego: agitado – At 13.5
SALAMIS, hebraico: agitado, o mesmo que Salamina – Mt 13.5
SALATIEL, hebraico: pedi a Deus – Mt 1.128
SALCÁ, hebraico: estrada – Dt 3.10
SALECÁ, hebraico: ligado firmemente – Dt 3.10
SALEFE, hebraico: extração – Gn 10.26
SALÉM, hebraico: paz, pacífico, completo – Gn 14.18
SALEQUETE, hebraico: lançar fora – 1Cr 26.16
SALIM, aramaico: completo; **hebraico:** pacífico – Jo 3.23
SALISA, hebraico: terça parte - 1Sm 9.4
SALMA, hebraico: vestido, pacífico – 1Cr 2.11; 1Rt 4.21
SALMAL, hebraico: oferta pacífica do Senhor – 2Rs 17.3
SALMANASAR, hebraico: Shulmana é chefe ou adorador do fogo – 2Rs 17.3
SALMANESER, hebraico: Shulmam é chefe – Rs 17.3
SALMARA, a sombra é retirada – Nm 33.41
SALMOS, grego: salmos, cântico de louvor
SALMOM, hebraico: lugar a sombra – Jz 9.48
SALMONA, hebraico: pacífico, prosperidade – At 27.7
SALMUNA, hebraico: abrigo negado – Jz 8.5
SALOMÃO, hebraico: muito pacífico – 1Cr 22.9
SALOMÉ, hebraico: perfeito, inteiro, paz – Mc 15.40
SALOMI, hebraico: paz – Ba 1.7
SALU, hebraico: elevado, exaltado – Nm 25.14
SALUM, hebraico: retribuição – 2Rs 15.10
SALUMIEL, hebraico: amigo de Deus – Nm 1.6
SALUSA, hebraico: heroismo – 1Cr 7.37
SALVADOR, hebraico: pessoa que Livra alguém do perigo, **latim:** o que salva – 2Rs 13.5
SAMA, hebraico: o Senhor ouviu – 1Cr 7.37
SAMÁ, hebraico: desolação – Gn 36.13
SAMA-HARARITA, hebraico: que mora na montanha – 2Sm 23.23

SAMAI, hebraico: devastado – 1Cr 2.28
SAMAIS, hebraico: o Senhor ouve – 1Cr 8.18
SAMARIA, hebraico: torre de vigia – 1Rs 18.2
SAMARIAS, hebraico: Jeová tem conservado – 1Cr 12.5
SAMBALÁ, hebraico: o deus lua, sim deu vida ou ódio disfarçado – Ne 2.10
SAMBALATE, hebraico: o deus lua, sim deu vida – Ne 2.10
SAMEQUE, 15ª letra do alfabeto hebraico – Sl 119.113
SAMER, hebraico: para ser vigiado ou conservador – 1Cr 6.46
SAMIR, hebraico: espinho, ouvido por Deus – Js 15.48
SAMLÁ, hebraico: vestimenta – Gn 36.36
SAMOS, hebraico: altura sobre a costa – At 20.15
SAMOQUIAS, hebraico: sustentado pelo Senhor – 1Cr 26.7
SAMOTRÁCIA, latim: Samos da Trácia ou altura de Traca – At 16.11
SAMUA, hebraico: fama (audição) – Nm 13.4
SAMUEL, hebraico: ouvir de Deus, ou nome de Deus – 2Cr 35.18
SAMUTE, hebraico: desolação – 1Cr 27.8
SANÃ, hebraico: lugar de rebanhos – Js 15.37
SANGAR, hebraico: gracioso, copeiro – Jz 3.31
SANGAR-NEBO, hebraico: gracioso com Nebo – Jr 39.3
SANLAI, hebraico: pacífico – Ed 2.46
SANSAI, hebraico: brilhante – Ed 4.9
SANSANA, hebraico: folha de palmeira, ou distribuição – Js 15.31
SANSÃO, hebraico: pequeno sol ou filho do povo – Jz 13.2
SANSERAI, hebraico: guarda do Senhor – 1Cr 8.26
SANTO, hebraico: sagrado, separado; **latim:** inocente, sagrado – Dt 23.14
SAQUIAS, hebraico: mercadoria – 1Cr 8.10
SARA, hebraico: princesa, soberana – Gn 17.15
SARAFE, hebraico: ardente, feroz – 1Cr 4.22
SARAI, hebraico: livre – Ed 10.40
SARAÍ, hebraico: contenciosa, livre – Gn 17.30
SARAR, hebraico: firme – 2Sm 23.33
SARCESIM, sentido ignorado – Jr 39.3
SARDES, latim: o sol, o príncipe de gozo – Ap 1.11
SAREDA, esfriando – 1Rs 11.26

SARETE, hebraico: brilho – 1Cr 4.7

SAREPTA, hebraico: lugar de fundição – 1Rs 17.9

SAREZER, hebraico: príncipe de fogo, protege o rei – 2Rs 19.37

SARGOM, assírio: rei constituído – Is 20.1

SARIDE, hebraico: sobrevivente – Js 19.10

SARLA, hebraico: estimado do Senhor – Js 19.37

SAROM, hebraico: planície – 1Cr 27.29

SARONA, hebraico: grande planície – At 9.35

SARSEQUIM, sentido ignorado – Jr 39.3

SARTÃ, hebraico: bolo – Js 3.16

SARUÉM, hebraico: morada agradável – Js 19.6

SARUQUE, hebraico: um ramo ou firmeza – Gn 11.20

SARVA, hebraico: leproso – 1Rs 11.26

SASAI, hebraico: pálido – Ed 10.40

SASAQUE, hebraico: desejo veemente – 1Cr 8.14

SASSABAZAR, adorador de fogo – Ed 1.8

SATANÁS, hebraico: adversário; **grego:** satan – Jo 1.6

SAUL, hebraico: pedindo ou perguntado por, o desejado – Gn 36.37

SAULO, hebraico: pedido – At 7.60

SAUSA, hebraico: morada ou habitação – 1Cr 18.16

SAVÉ, hebraico: planície – Gn 14.17

SAVÉ-QUIRIATAIM, hebraico: planície de Quiriataim – Gn 14.5

SEÁ, hebraico: medida igual a 13 litros – Gn 18.6

SEAL, hebraico: súplica – Ed 10.29

SEALTIEL, hebraico: pedi a Deus – 1Cr 3.17

SEAR-JASUBE, hebraico: um resto voltará – Is 7.3

SEARIAS, hebraico: Jeová brotou como a alva ou Jeová tem estimado – 1Cr 8.26

SEBA, hebraico: juramento – n 25.3

SEBÁ, hebraico: sete juramento – Gn 10.7

SEBANIAS, hebraico: Jeová misericórdioso – 1Cr 15.24

SEBARIM, hebraico: abertura, ruínas – Js 7.5

SEBATE, hebraico: 11º mês do ano – Zc 1.7

SEBEON, hebraico: muitas cores – Gn 36.2

SEBER, hebraico: fratura – 1Cr 2.48

SEBETAI, hebraico: pertencente ao sábado – Is 10.15

SEBIA, veada – 2Rs 12.1

SEBNA, hebraico: ternura – 2Rs 18.18

SEBUEL, hebraico: prisioneiro de Deus, ou cativo de Jeová – 1Cr 23.16

SECACÁ, hebraico: cerca, fecho – Js 15.61

SECANIAS, hebraico: Jeová habita – 1Cr 3.21

SECROM, hebraico: produtividade – Js 15.11

SECRONA, hebraico: embriaguez, ou produtividade – Js 15.11

SECU, hebraico: torre de vigia – 1Sm 19.22

SECUNDO, hebraico: o segundo – At 20.4

SEDADA, hebraico: montanha – Nm 34.8

SEDANA, hebraico: montanha – Nm 34.8

SEDECIAS, hebraico: justiça do Senhor – Jr 36.12

SEDEUR, hebraico: luz – Nm 1.5

SEERÁ, hebraico: parenta – 1Cr 7.24

SEFAMOTE, hebraico: retribuição – 1Sm 30.28

SEFAR, hebraico: contagem, numerado – Gn 10.30

SEFARADE, hebraico: apartado – Ob 3.20

SEFÃO, hebraico: serpentes – 1Cr 7.12

SEFARVAIM, hebraico: sisparas gêmeas – 2Rs 17.24

SEFATIAS, hebraico: Jeová tem julgado – 2Sm 3.4

SEFELÁ, hebraico: terras baixas – 1Mac 12.38

SEFER, hebraico: beleza, elegância, **grego:** carta ou epistola – Nm 33.23

SEFETE, hebraico: torre de vigilância – Tb 1.1

SEFI, hebraico: expectação – Gn 36.11

SEFO, hebraico: lisura – Gn 36.23

SEFON, hebraico: serpentes – 1Cr 7.12

SEFOR, hebraico: passarinho – Nm 22.2

SEFORA, grego: beleza, brilho – Ex 1.15

SEFRA, hebraico: beleza, brilho – Êx 1.15

SEFUFÁ, hebraico: serpente – 1Cr 8.5

SEGOR, hebraico: pequeno – Gn 19.22

SEGUBE, hebraico: exaltado – 1Rs 16.34

SEIR, hebraico: cabeludo ou aspero – Gn 36.21

SEIRA, hebraico: animal peludo, cabra – Jz 3.26

SELA, hebraico: elevação – Gn 46.12

SELÁ, som soleten, pausa – Sl 9.16

SELA-HAMALECOTE, hebraico: pedra de escape – 1Sm 23.28

SELAI, hebraico: recusador – Ne 12.20

SELAQUE, hebraico: armado – 1Rs 22.42
SELEQUE, hebraico: abertura – 2Sm 23.37
SELCA, hebraico: firmemente – Dt 3.10
SELEBIM, hebraico: raposa – Js 19.42
SELEDE, hebraico: exultação – 1Cr 2.30
SELEFE, hebraico: extração ou quebradura – 1Cr 1.20
SELEMIAS, hebraico: Jeová recompensa – 1Cr 26.14
SELES, hebraico: trio – 1Cr 7.35
SELETAI, hebraico: sombra do Senhor - 1Cr 8.20
SELÊUCIA, hebraico: concernente a Selêuco, batido pelas ondas – At 13.4
SELMON, hebraico: sombra, ou terraço – 2Sm 23.28
SELOFADE, hebraico: primeira abertura - Nm 26.33
SELOMI, hebraico: pacífico – Nm 34.27
SELOMITE, hebraico: pacífico – Lv 24.11
SELOMOTE, hebraico: retribuição, perfeição ou pacífico – 1Cr 24.22
SELUMIEL, hebraico: amigo de Deus – Nm 1.6
SEM, hebraico: rocha, dente ou dentada – Gn 5.32
SEMA, hebraico: rumor, fama – Js 15.26
SEMAA, hebraico: fama, rumor – 1Cr 12.3
SEMAATE, hebraico: rumor – 2Rs 12.21
SEMAIAS, hebraico: Jeová tem ouvido – 2Cr 11.2
SEMAQUIAS, hebraico: Jeová sustenta ou tem sustentado – 1Cr 26.7
SEMARIAS, hebraico: Jeová tem conservado – 1Cr 12.5
SEMEBER, hebraico: nome que voa ou resplendor de heroismo – Gn 14.2
SEMEDE, hebraico: destruição – 1Cr 8.12
SEMEI, hebraico: famoso – Lc 3.26
SEMER, hebraico: borra de vinho ou para seu guardado – 1Rs 16.24
SEMES, hebraico: casa do sol – Js 21.16
SEMIDA, hebraico: fama de sabedoria – 1Cr 7.19
SEMIRAMOTE, hebraico: alto nome – 1Cr 15.18
SEMUEL, hebraico: pedido de Deus – Nm 34.20
SENAÁ, hebraico: espinhoso – Ed 2.35
SENAN, hebraico: lugar de rebanhos – Js 15.37
SENAQUERIBE, persa: Deus tem multiplicado meus irmãos – 2Rs 18.13

SENAZAR, grego: folha de palmeira; **persa:** Deus lua, valei-me – Cr 3.18
SENE, hebraico: exaltado – 1Sm 14.4
SENEM, hebraico: moita de espinho – 1Sm 14.4
SENEAR, hebraico: espalhando – Gn 11.2
SENEZER, hebraico: folha de palmeira – 1Cr 3.18
SENHOR, hebraico: Adonai – Gn 2.4
SENIR, hebraico: cota de malha – Dt 3.9
SENSENA, hebraico: folha de palmeira – 1Cr 3.18
SENUA, hebraico: luz – Ne 11.9
SEOL, hebraico: partes baixas, inferno – Gn 42.38
SEOM, hebraico: escova – Nm 21.21
SEORIM, hebraico: cevada – 1Cr 24.8
SEQUÍAS, hebraico: habitar – 1Cr 8.10
SERA, hebraico: abundância – Gn 46.17
SERAFIM, hebraico: queimadores ou sublimes – Is 6.2
SERAIAS, hebraico: príncipe ou soldado do Senhor – 2Sm 8.17
SEREBIAS, hebraico: Jeová fez tremor ou libertação do Senhor – Ne 12.8
SEREDE, hebraico: temor, tremura – Gn 46.14
SERES, hebraico: raiz ou renovo – 1Cr 7.16
SERETE, hebraico: brilho – 1Cr 4.7
SERGIO, hebraico: uma rede, **latim:** servo ou escravo – At 13.7
SERGIO PAULO, latim: uma rede pequena – At 13.7
SEROM, hebraico: nobreza – 1Mac 3.13
SERTÃ, hebraico: frigideira, ou torradeira – 1Cr 9.31
SERUQUE, hebraico: rebento – Gn 11.20
SESÃ, hebraico: lírio – 1Cr 2.31
SESAI, hebraico: alvacento – Nm 13.22
SESAN, hebraico: lírio – 1Cr 2.31
SESAQUE, persa: confusão – Jr 25.26
SESBAZAR, persa: adorador de fogo – Ed 1.8
SETAR, hebraico: uma estrela – Et 1.14
SETAR-BOZENAI, hebraico: uma estrela resplandente – Ed 5.3
SETE, hebraico: designado ou tumulto – Gn 5.3
SETE-ESTRELO, hebraico: nome vulgar da constelação pleides – Jo 38.31
SETIM, hebraico: acácia – Êx 25.10.
SETRI, hebraico: proteção do Senhor – Êx 6.22
SETUR, hebraico: escondido – Nm 13.13

SEVA, hebraico: vaidade ou habitação – 2Sm 20.25
SEVENE, egípcio: que dá entrada – Ez 29.10
SHACIA, hebraico: castigo do Senhor – 1Cr 8.10
SHADAI, hebraico: todo poderoso – Êx 6.2
SHEOL, hebraico: inferno, ou partes baixas da terra ou mundo dos mortos – Gn 42.38
SIA, hebraico: assembléia – Ed 2.44
SIAÁ, hebraico: assembléia – Ed 2.44
SIÃO, hebraico: lugar seco, banhado de sol – 2Rs 19.21
SIBA, hebraico: uma planta – 2Sm 9.2
SIBECAI, hebraico: bosque do Senhor – 1Cr 11.29
SIBI, hebraico: uma planta – 2Cr 9.2
SIBMA, hebraico: frescura, perfume – Nm 32.38
SIBOLETE, hebraico: rio, corrente – Jz 12.5
SIBRAIM, hebraico: esperança dupla – Ez 47.16
SICAR, hebraico: cidade, ou falsidade – Jo 4.5
SICÍLIA, grego: que atrai com violência – At 28.12
SICLAQUE, hebraico: saídas de uma fonte) Js 15.31
SICOR, hebraico: negro, turbido – Is 23.3
SICROM, hebraico: embriaguez – Js 15.11
SIDIM, hebraico: lados – Gn 14.3
SIDOM, hebraico: peixe abundante ou fortificado – Gn 10.15
SIDONIA, hebraico: peixe abundante ou fortificado – Gn 10.15
SIENE, hebraico: chaves – Ez 29.10
SIFI, hebraico: abundante – 1Cr 4.37
SIFMONTE, hebraico: abundância – 1Sm 30.28
SIFRÁ, hebraico: esplendor – Êx 1.15
SIFTÃ, hebraico: judicial – Nm 34.24
SIGAIOM, hebraico: singular, instrumento musical – Hc 3.1
SIGIONOTE, hebraico: errante – Sl 7
SILA, hebraico: cesto – 2Rs 12.20
SILAS, grego: contração do monte Silvano, consideração – At 15.22
SILÉM, hebraico: retribuição – Gn 46.24
SILI, hebraico: armado com dardo – Js 15.32
SILIM, hebraico: arma de arremesso – Gn 49.10
SILÓ, hebraico: tranquilidade, repouso – Jz 21.19
SILOÊ, hebraico: enviado – Jo 9.11
SILOMI, hebraico: pacificador – Ne 11.5

SILQUI, hebraico: armado com dardo – 1Rs 22.42
SILSA, hebraico: trio ou heroismo – 1Cr 7.37
SILVANO, grego: considerado – 2Co 1.19
SIM, hebraico: pântano – Êx 16.1
SIMÃO, hebraico: cana, audição – Mt 4.18
SIMEÃO, hebraico: famoso – 1Cr 23.7
SIMEATE, hebraico: rumor – 2Rs 12.21
SIMEI, hebraico: famoso – 1Cr 20.1
SIMÉIA, hebraico: afamado – 1Cr 3.5
SIMOM, hebraico: grande deserto ou provador – 1Cr 4.20
SINABE, hebraico: dente do pai – Gn 14.2
SINAGOGA, hebraico: assembléia – Sl 74.8
SINAI, hebraico: bosque do Senhor – Êx 19.1
SINAR, hebraico: espalhada – Gn 10.10
SINEAR, hebraico: espalhada – Gn 10.10
SININ, hebraico: mocidade, eternidade – Gn 10.22
SINRATE, hebraico: vigilância – 1Cr 8.1
SINRI, hebraico: vigilante ou protegido de Deus – 1Cr 4.37
SINRITE, hebraico: guardada – 2Cr 24.26
SINROM, hebraico: guardião – Gn 46.13
SINRON-MEOM, hebraico: guardião de Merom – Js 12.20
SINSAI, grego: brilhante, luminoso – Ed 4.8
SÍNTIQUE, grego: afortunado – Fp 4.2
SIOM, hebraico: elevado ou montanha sagrada – Dt 4.48
SIOR hebraico: escuro, rio, corrente – Is 23.3
SIOR-LIBNATE, hebraico: torrente de Libnate, ou rio de lodo preto - Js 19.26
SIPAI, hebraico: alto, extensão – 1Cr 20.4
SIQUEM, hebraico: ombro, espádua – 1Cr 7.19
SIRÁ, hebraico: efervescência – 2Sm 3.26
SIRACUSA, grego: que atrai com violência - At 28.12
SÍRIA, abreviação da palavra Assíria, sublime ou enganoso – 1Mac 3.37
SIRIOM, hebraico: couraça – Dt 3.9
SIRIOUR, hebraico: montanha sagrada – Dt 3.9
SIRO-FENÍCIA, hebraico: púrpura – Mc 7.26
SIROCO, grego: vento quente do sudeste - Jo 37.17
SIRTE, grego: banco móvel de areia – At 27.17
SISA, hebraico: nobreza – 1Rs 4.3

SISAMI, hebraico: o sol – 1Cr 2.40
SISAMOI, hebraico: sol – 1Cr 2.40
SISAQUE, como um rio – 1Cr 12.5
SÍSERA, hebraico: ordem de combate – Jz 4.17
SISI, hebraico: fertilidade – 1Rs 4.3
SISMAI, hebraico: o sol do Senhor – 1Cr 2.40
SITIM, hebraico: acácias – Nm 25.1
SITNA, hebraico: luta, acusação, inimizade – Gn 26.21
SITRAI, hebraico: escriba do Senhor – 1Cr 27.29
SITRI, hebraico: oculto ou lugar escondido – Êx 6.22
SIVÃ, 3º mês do ano judaico – Et 8.9
SIVA, hebraico: habitação ou vaidade – 2Sm 20.25
SIZA, hebraico: veemente amor – 1Cr 11.42
SMIRNA, hebraico: mirra – Ap 2.8
SO, hebraico: exaltado – 2Rs 17.4
SOÁ, hebraico: lugar baixo – Ez 23.23
SOÃO, hebraico: berilo – 1Cr 24.27
SOBA, hebraico: depressão – 2Sm 8.3
SOBABE, hebraico: restaurado ou libertado – 1Cr 3.5
SOBAI, hebraico: homem que leva cativo – Ed 2.42
SOBAL, hebraico: transbordante, viajante ou vagabundo – Gn 36.20
SOBEQUE, hebraico: pessoa que esquece – Ne 10.24
SOBI, hebraico: condutor de escravos ou recompensa do Senhor – 2Sm 17.27
SOBOBA, hebraico: indo devagar – 1Cr 4.8
SOBAQUE, hebraico: pessoa que esquece – 2Sm 10.16
SOBOQUE, hebraico: pessoa que esquece – 2Sm 10.16
SOCÓ, hebraico: espinho, cerca de espinhos – Js 15.35
SODI, hebraico: Deus é confidente – 2Rs 4.11
SODOMA, flamejante, mistério ou flamejante – Gn 13.10
SOFAQUE, derramado, ou extensão – 1Cr 19.16
SOFAR, hebraico: gorjeador – Jo 2.11
SOFERETE, hebraico: secretariado – Ed 2.55
SOFONIAS, hebraico: Deus escondeu-se – Sf 1.1
SOMER, hebraico: vigilante, guarda – 2Rs 12.21
SOPATER, hebraico: salvação do pai, **grego:** de boa família – Rm 16.21, At 20.4
SÓPATRO, hebraico: de boa família, **grego:** quem defende o pai – At 20.4

SORÁ, hebraico: enxame de abelha ou vespas – Js 19.41
SOREQUE, hebraico: vinha escondida – Jz 16.4
SORI, hebraico: bálsamo – 1Cr 25.3
SOSANIM, hebraico: lírios – Sl 45
SOSÍPATRO, hebraico: salvador de um pai – Rm 16.21
SÓSTENES, hebraico: inquebrantável ou salvador poderoso, **grego:** força que salva – At 18.17
SOTAI, hebraico: desviado – Ed 2.55
SOTAL, hebraico: retirado pelo Senhor – Ed 2.55
SOTER, grego: Salvador – 1Mac 7.1
SUA, hebraico: varreduras, riqueza, depressão – Gn 38.2
SUÃ, hebraico: cavador de poço – Nm 26.42
SUÁ, hebraico: depressão, ou prosperidade – Gn 25.2
SUAL, hebraico: raposa ou chacal – 1Cr 7.36
SUÃO, hebraico: vento, calmoso e abafado do sul, berilo – 1Cr 24.27
SUBAMA, hebraico: perfume, frescura – Js 13.19
SUBAEL, hebraico: cativo do Senhor – 1Cr 25.20
SUCOTE, hebraico: cabanas, barracas – Gn 33.17
SUCOTE-BENOTE, hebraico: cabanas das filhas – 2Rs 17.30
SUE, hebraico: habitação ou vaidade – 2Sm 20.25
SUFA, hebraico: serpente, bicórnea – Nm 26.39
SUFE, hebraico: favo de mel – Dt 1.1
SULATA, hebraico: lugar de tela – 1Cr 7.20
SULAMITA, hebraico: completo, tendo paz perfeita – Ct 6.13
SUNÃO, hebraico: lugar de repouso – 2Rs 4.11
SUNAMITA, hebraico: natural de Sunen – 1Rs 1.3
SUNÉM, hebraico: lugar de repouso ou paiol – Js 19.18
SUNI, hebraico: calmo ou tranquilidade – Gn 46.16
SUPIM, hebraico: almoxarifado – 1Cr 7.12
SUR, hebraico: muralha, fortaleza – Gn 16.7
SURIEL, hebraico: rocha é Deus – Nm 3.35
SURISADAI, rocha do todo poderoso – Nm 1.6
SUSÃ, persa: lírio – Ne 1.1
SUSA-EDUTE, persa: lírio de testemunho – Sl 60
SUSANA, lírio de graça, açucema – Lc 8.3
SUSI, hebraico: cavaleiro – Nm 13.11
SUTELA, hebraico: lugar de tela – 1Cr 7.20
SUZANA, lírio de graça – Lc 8.3

T

TAÃ, hebraico: inclinação – Nm 26.35
TAANAQUE, hebraico: vagueando – Js 12.21
TAANATE-SILO, hebraico: vagabundo próximo a Siló – Js 16.6
TAAPANES, hebraico: começo do século – Ez 30.18
TAÁS, porco marinho ou vermelho – Gn 22.24
TAATE, hebraico: que está debaixo – 1cr 6.24
TABALIAS, hebraico: Jeová purificou – 1Cr 26.11
TABAOTE, hebraico: anéis – Ed 2.43
TABATE, hcbraico: famoso – Jz 7.22
TABEAL, aramaico: Deus é bom – Is 7.6
TABEEL, hebraico: bondade de Deus – Ed 4.7
TABERÁ, hebraico: ardente ou queimado – Nm 11.3
TABETE, nome do 10º mês do calendário semítico – Et 2.16
TABITA, aramaico: gazela ou o que confessa – At 9.40
TABOR, hebraico: altura – Jr 46.18
TABRIMOM, hebraico: Rimom, **aramaico:** é Deus – 1Rs 15.18
TADAI, hebraico: temor, reverência – Gn 14.1
TADEU, hebraico: aquele que louva ou confessa; **aramaico:** corajoso, **siriaco:** o amável – Lc 6.16
TADMOR,hebraico: palmeiras – 1Cr 8.4
TAFATE, hebraico: gota de mirra – 1Rs 4.11
TAFETE, hebraico: gota de mirra – 1Rs 4.11
TAFUA, hebraico: expectação – Js 16.8
TAFNES, hebraico: inclemência – 1Rs 11.19
TALITA CUMI, aramaico: filhinha, levanta-te – Mc 5.41
TALMAI, hebraico: sulco ou abundando – Nm 13.22
TALMOM, hebraico: oprimido – Ed 2.42
TAMA, hebraico: riso – Ed 2.53
TAMAR, hebraico: palmeira – Gn 38.6
TAMUZ, hebraico: escondido, filho da vida – Ez 8.14

TANAQUE, hebraico: próximo a Siló, vagueando – Js 16.6
TANATA, hebraico: próximo – 1Mac 9.50
TANEUMETEL, hebraico: consolação – 2Rs 25.23
TANIS, hebraico: lugar baixo – Nm 13.27
TANUMETE, hebraico: consolação – 2Rs 25.23
TANUNHETE, hebraico: consolação – 2Rs 25.23
TAPANÉS, hebraico: começo do século – Ez 30.18
TAPUA, hebraico: maçã – Js 15.34
TAQUEMONI, hebraico: sabedoria – 2Sm 23.8
TARA, hebraico: demora – Nm 33.27
TARALA, hebraico: cambalear – Js 18.27
TAREÁ, hebraico: habilidade – 1Cr 8.35
TARELA, hebraico: poder de Deus – Js 18.27
TARPELIAS, hebraico: porta dos touros – Ed 4.9
TÁRSIS, sujeição ou duro – Gn 10.4
TARSOR, com penas – At 9.11
TARTÃ, persa: grande aumento – 2Rs 18.17
TARTAQUE, persa: a lua dos deuses, ou herói das trevas – 2Rs 17.31
TATENAI, persa: um dom – Ed 5.3
TAU, 22ª letra do alfabeto hebraico, melhor, sinal – Sl 119.169
TE-ABIBE, hebraico: monte de trigo verde – Ez 3.15
TEBÁ, hebraico: matança – Gn 22.24
TEBALIAS, hebraico: Jeová purificou – 1Cr 26.11
TEBAS, egipcio: cidade de Amom – 2Mac 14.19
TEBES, hebraico: brilho, esplendor – Jz 9.50
TEBETE, nome do 10º mês do calendário semítico – Et 2.16
TEBEZ, hebraico: brilho esplendor – Jz 9.50
TECOA, hebraico: firme – 2Sm 14.2
TECUA, hebraico: firme – 1Mac 9.32
TECUAS, hebraico: expectação – 2Rs 2.24
TEÍNA, hebraico: súplica, graça – 1Cr 4.12
TEL-ABIDE, hebraico: monte de trigo verde – Ez 3.15
TEL-HARSA, hebraico: monte de Harsa ou monte do Harado – Ed 2.59
TELMAM, hebraico: grande opressão – 1Cr 9.17
TEL-MELÁ, hebraico: monte de sal – Ed 2.59
TELA, hebraico: fratura – 1Cr 7.25
TELAIM, hebraico: cordeirinho – 1Sm 15.4

TELASSAR, hebraico: monte de Assur – 2Rs 19.12
TELÉM, hebraico: opressão – Js 15.24
TEMÃ, hebraico: meridional – Gn 36.11
TEMÁ, hebraico: riso – Ed 2.53
TEMENI, hebraico: país do sul ou afortunado – 1Cr 4.6
TEODOTO, grego: dado por Deus – II Mac 14.19
TEÓFILO, grego: amigo de Deus – Lc 1.3
TEQUEL, persa: pesado – Dn 5.25
TERÁ, babilônico: demora – Gn 11.24
TÉRCIO, latim: o terceiro – Rm 16.22
TERES, hebraico: austero - Et 2.21
TERFAL, hebraico: porta dos touros – Ed 4.9
TÉRTULO, latim: diminutivo de Tércio, mentiroso – At 24.1
TESBITA, hebraico: o estrangeiro, natural de Tisbi – 1Rs 17.1
TESSALÔNICA, conquista de Tessália ou vitória contra os falsos – At 17.1
TESSALONICENSES, morador de Tessalônica (Carta de Paulo)
TETANAI, persa: um dom – Ed 5.3
TETE, 9ª letra do alfabeto hebraico – Sl 119.65
TEUDAS, latim: ensinador falso – At 5.36
TIAGO, forma da palavra grega Jacó; **hebraico:** suplantador – Mt 4.21
TIATIRA, macabeus: sacrifício de trabalho – Ap 1.11
TIBATE, hebraico: matança – 1Cr 18.8
TIBÉRIO CÉSAR, latim: associação de dois nomes; **Tibério:** filho do Rei Tiber, Cesar, cabeludo – Lc 3.1
TIBNI, hebraico: edificado do Senhor, inteligência – 1Rs 16.22
TICIO JUSTO, latim: honrado (Ticio), reto (justo) – At 18.7
TICVÁ, hebraico: esperança ou expectação –2Rs 22.14
TIDAL, hebraico: temor, reverência – Gn 14.1
TIFSA, hebraico: vau, passagem – 1Rs 4.24
TIGLATE-PILESER, persa: a minha força está no deus Ninibe – 2Rs 15.29
TIGRE, hebraico: Hidequel; o rápido - Gn 2.14
TILOM, hebraico: um dom – 1Cr 4.20
TIMÃO, grego: aquele que honra a "deus" ou vingado – At 6.5
TIMEU, hebraico: muito estimado – Mc 10.46
TIMÓTEO, hebraico: que adora a Deus ou amado de Deus; **grego:** que honra a Deus – At 16.1

TINNÁ, hebraico: porção destinada ou inacessível, Js 15.57

TINNATE-HERES, hebraico: porção de sol – Jz 2.9

TINNATE-SERÁ, hebraico: porção dobrada, porção do sol – Js 19.50

TÍQUICO, hebraico: fortuito – At 20.4

TIRACA, hebraico: exaltado – Is 37.9

TIRANA, hebraico: morada – 1Cr 2.48

TIRANO, hebraico: Senhor absoluto – At 19.9

TIRAS, hebraico: desejo – Gn 10.2

TIRIA, hebraico: alicerce ou medo – 1Cr 4.16

TIRO, hebraico: rocha, fortaleza – 2Sm 5.11

TIRIA, hebraico: alicerce ou medo – 1Cr 4.16

TIRO, hebraico: rocha, fortaleza – 2Sm 5.11

TIRSATA, babilônico: prefeito ou governador – Ed 2.63

TIRZA, hebraico: beleza, prazer, deleite – Js 12.24

TITÃS, grego: quiseram escalar o céu – Jt 16.6

TITO, latim: louvável, honrado – Gl 2.1

TITO JUSTO, latim: honrado por sua justiça – At 18.7

TOÃ, hebraico: baixo – 1Cr 6.34

TOB, hebraico: bom – Jz 11.3

TOBADONIAS, hebraico: Deus é o meu Senhor Jeová – 2Cr 17.8

TOBE, hebraico: bom, notável – 2Sm 10.6

TOBE-ADONIAS, hebraico: Deus é o meu senhor Jeová – 2Cr 17.8

TOBIAS, hebraico: Jeová é Deus ou Deus é bom – Ne 2.19

TOBITE, hebraico: Jeová é bom – Tb 1.1

TOCATE, hebraico: que está debaixo – 1Cr 6.24

TOEE, hebraico: bom – 2Sm 10.6

TOFEL, hebraico: insípido ou reboque – Dt 1.1

TOFETE, hebraico: lugar da chama ou aborrecimento – Jr 7.31

TOGARMA, hebraico: quebrando ossos – Gn 10.3

TOI, hebraico: erro – 2Sm 2.9

TOLA, hebraico: vermelho ou escarlate – Gn 46.13

TOLADE, hebraico: posteridade – 1Cr 4.29

TOMÉ, hebraico: gêmeo – Mt 10.3

TOQUÉM, hebraico: medida, peso – 1Cr 4.32

TORA, hebraico: lançar sorte, instrução

TOÚ, hebraico: baixo – 1Sm 1.1

TRACONITES, grego: lugar pedregoso – Lc 3.1
TRÊS TABERNAS, onde se vende vinho – At 28.15
TRÊS VENDAS, onde se vende vinho – At 28.15
TRIFENA, grego: delicada – Rm 16.12
TRIFOM, grego: sensual – 1Mac 11.39
TRIFOSA, grego: brilhando às vezes – Rm 16.12
TRÔADE, grego: região em torno de Tróia – At 16.8
TRÔAS, grego: penetrado – At 16.8
TRÓFINO, grego: filho adotivo, nutriente – At 20.4
TRÓGILIO, grego: nozes, frutas – At 20.15
TSADE, 18º letra do alfabeto hebraico, gafanhoto – Sl 119.137
TISIDKENU, hebraico: o Senhor é justiça nossa – Jr 23.6
TUBAL, hebraico: forjas ou derramado – Gn 10.2
TUCAL-CAIM, hebraico: produto de forjas – Gn 4.22
TUMIM, hebraico: perfeição – Êx 28.30

U

UBIL, hebraico: trator de camelo – 1Cr 27.30
UCAL, hebraico: eu sou forte – Pv 30.1
UEL, hebraico: vontade de Deus – Ed 10.34
UFARSIM, persa: singular de Parsim – Dn 5.25
UFAZ, hebraico: ilha de ouro – Jr 10.9
ULA, hebraico: julgo – 1Cr 7.39
ULAI, hebraico: água lamacenta – Dn 8.2
ULÃO, hebraico: frente – 1Cr 7.16
UMÁ, hebraico: conjunção – Js 19.30
UNI, hebraico: aflito ou afligindo pelo Senhor – 1Cr 15.18
UR, hebraico: estabelecimento, luz, fogo – 1Cr 11.35
UR DOS CALDEUS, cidade de Terã e Abrão – Gn 11.28
URBANO, grego: polido, agradável; **latim:** citadina, civilizado – Rm 16.9
URI, hebraico: ardente ou luz de Jeová – Êx 31.2
URIAS, hebraico: Jeová é luz – 2Sm 11.3
URIEL, hebraico: Deus é luz ou fogo de Deus – 1Cr 15.5
URIJÁ, hebraico: Jeová é luz – 2Rs 16.10
URIM, hebraico: luzes – Êx 28.30
URSA, grego: guarda do urso – Jó 9.9
USAL, hebraico: viandante ou velocidade do Senhor – Gn 10.27
UTAÍ, hebraico: proveitoso – 1Cr 9.4
UZ, hebraico: fértil – Gn 10.23
UZÁ, hebraico: força – 2Sm 6.3
UZAI, hebraico: robusto – Ne 3.25
UZAL, hebraico: viandante – Gn 10.27
UZEM, hebraico: porção – 2Sm 6.3
UZÉM-SEERÁ, hebraico: porção de Sheerá – 1cr 7.24
UZI, hebraico: minha força – 1Cr 6.5
UZIA, hebraico: força de Jeová – 1Cr 11.44
UZIAS, hebraico: Jeová é minha força – 2Rs 15.13
UZIEL, hebraico: Deus é minha força ou poder de Deus – 1cr 6.2

V

VAEBE, sentido ignorado – Nm 21.14

VAISATA, hebraico: forte como o vento – Et 9.9

VANIAS, hebraico: calamidade ou louvor de Jeová – Ed 10.36

VASNI, hebraico: dom liberal do Senhor – 1Cr 6.28

VASTI, persa: a mais excelente ou mulher bela – Et 1.9

VAU, 6ª letra do alfabeto hebraico – Sl 119.41

VEDÃ, hebraico: juiz – Ez 27.19

VOFSI, hebraico: acrescentamento do Senhor –Nm 13.14

X

XANTICO, grego: cavalo russo – 2Mac 11.30
XEBA, hebraico: homem – Gn 10.7
XERXES, rei leão o belicoso, o mesmo que Asuero – Et 1.2

Z

ZAÃ, hebraico: desgosto – 1Cr 11.19
ZAÃO, hebraico: desgosto ou inquieto – 2Cr 11.19
ZAANÃ, hebraico: lugar das manadas, rico em rebanhos – Mq 1.11
ZAANANIM, hebraico: partida, ou grandes migrações –Js 19.33
ZAAVÃ, hebraico: inquieto – Gn 36.27
ZABADE, hebraico: doador – 1Cr 11.41
ZABAI, hebraico: zumbido – Ed 10.28
ZABDI, hebraico: dom de Jeová – Js 7.1
ZABDIEL, hebraico: dom de Deus – 1Cr 27.2
ZABUDE, hebraico: doado ou dotado – 1Rs 4.5
ZACAI, hebraico: puro, inocente – Ed 2.9
ZACARIAS, hebraico: Jeová se lembra ou Jeová se lembrou – Ed 5.1
ZACUR, hebraico: atento – Nm 13.4
ZADOQUE, hebraico: reto, justo – 2Sm 8.17
ZAFENATE-PANÉIA, egípcio: Salvador do mundo, **hebraico:** Deus fala, Ele vive –Gn 41.45
ZAFOM, hebraico: o norte – Js 13.27
ZAINE, 7ª letra do alfabeto hebraico – Sl 119.49
ZAIR, hebraico: pequeno – 2Rs 8.21
ZALAFE, hebraico: fratura – Ne 3.30
ZALMOM, hebraico: sombrio – 2Sm 23.28
ZALMONA, hebraico: sombrio – Nm 33.41
ZAMIRA, hebraico: dança, melodia – 1Cr 7.8
ZANOA, hebraico: água suja – Js 15.56
ZANZUMINS, hebraico: barulhentos – Dt 2.20
ZAQUAL, hebraico: pureza o Senhor – Ed 2.9
ZAQUEU, hebraico: puro – Lc 19.2
ZARÁ, hebraico: nascer do sol; **arabe:** flor – **Mt** 1.3

ZEREBE, hebraico: abundância de árvore – Dt 2.13
ZAREFATE, hebraico: lugar de derreter metais – 1Rs 17.9
ZERETÃ, hebraico: bolo – Gn 36.11
ZARETE-SAAR, hebraico: resplendor da aurora – Js 13.19
ZARIAS, hebraico: nascer do sol – 1Cr 6.6
ZARITA, hebraico: nascer do sol – Nm 26.13
ZARTÃ, hebraico: bolo – 1Rs 7.46
ZATU, hebraico: ornato, beleza –Ed 2.8
ZAZA, hebraico: abundância – 1Cr 2.33
ZAZUMINS, barulhentos – Dt 2.20
ZEBA, hebraico: matança, sacrifício – Jz 8.5
ZEBADIAS, hebraico: Jeová deu – 1Cr 12.7
ZEBAIM, hebraico: veados – Ed 2.57
ZEBEDEU, grego: Jeová deu ou Deus tem doado; **hebraico:** dom de Deus – Mc 1.19
ZEBIDA, hebraico: dotada – 2Rs 23.36
ZEBINA, hebraico: adquirido – Ed 10.43
ZEBOIM, hebraico: hienas ou gazelas – Gn 10.19
ZEBUBE, hebraico: mosca – 2Rs 1.6
ZEBUAIS, hebraico: comprado – Ed 10.43
ZEBUDA, hebraico: entregando um dom – 2Rs 23.30
ZEBUL, hebraico: habitação – Jz 9.28
ZEBULOM, hebraico: morada – Gn 30.20
ZECARIAS, hebraico: lembrado do Senhor – 1Cr 9.21
ZECUR, hebraico: lembrado, ou atento – 1Cr 4.26
ZEDADE, hebraico: montanha – Nm 34.8
ZEDEQUIAS, hebraico: Jeová é minha justiça ou retidão – 1Rs 22.11
ZEEBE, hebraico: lobo, terror – Jz 7.25
ZEFANIAIS, hebraico: escondido do Senhor – Zc 6.10
ZEFANIAS, hebraico: escondido do Senhor – Sf 3.1
ZEFATÁ, hebraico: torre de vigia –Jz 1.17
ZEFATE, hebraico: torre de vigia –Jz 1.17
ZEFI, hebraico: vigia –Gn 36.11
ZEFÔ, hebraico: vigia – Gn 36.11
ZEFOM, hebraico: vigilância – Nm 26.15
ZELA, hebraico: riba – Js 18.28
ZELEQUE, hebraico: fenda, ralha – 2Sm 23,37
ZELFA, hebraico: mirra, gota – Gn 29.24

ZELFI, hebraico: mirra, gota – Gn 29.24
ZELOFEADE, 1ª abertura, ou filho de Hefer – Nm 26.33
ZELOTE, hebraico: zeloso – Lc 6.15
ZELZA, hebraico: sombra do calor do sol – 1Sm 10.2
ZEMARAIM, hebraico: dois cortez – Js 18.22
ZEMIRA, hebraico: melodia – 1Cr 7.8
ZENÃ, hebraico: lugar de rebanhos – Js 15.37
ZENAS, grego: dom de deus (Zeus – mitologia grega), ou vivendo – Tt 3.13
ZEQUER, hebraico: recordação – 1Cr 8.31
ZER, hebraico: pederneira – Js 19.35
ZERÁ, hebraico: crepúsculo – Gn 46.12
ZERAÍAS, hebraico: o Senhor ressuscitou – 1Cr 6.6
ZERAQUIAS, hebraico: Jeová ressuscitou – 1Cr 6.6
ZEREDA, hebraico: refrigerante, fresquidão – 1Rs 11.26
ZEREDE, hebraico: crescimento exuberante – Nm 21.12
ZERERÁ, hebraico: pedrinhas – Jz 7.22
ZERÉS, hebraico: ouro – Et 5.10
ZERETE, hebraico: brilho da tarde – 1Cr 4.7
ZERI, hebraico: bálsamo – 1Cr 25.3
ZEROR, hebraico: Feixe – 1Sm 9.1
ZERUA, hebraico: leproso – 1Rs 11.26
ZERUBABEL, hebraico: cortado, bálsamo ou semente da Babilonia – Ed 3.2
ZERUIA, hebraico: separação, fenda – 2Sm 16.10
ZETÃ, hebraico: olivial – 1Cr 7.10
ZETAR, hebraico: mui grande – Et 1.10
ZETUA, hebraico: ornato, beleza – Ne 10.14
ZEZA, hebraico: abundância – 1Cr 2.33
ZIA, hebraico: sombrio, terror – Ed 2.43
ZIBA, hebraico: uma planta – 2Sm 9.2
ZIBEÃO, hebraico: tinto – Gn 36.2
ZIBIA, hebraico: gazela fêmea – 1Cr 8.9
ZICLAQUE, hebraico: saídas de uma fonte – Js 15.31
ZICRI, hebraico: famoso – Ex 6.21
ZIDIM, hebraico: lados da montanha – Js 19.35
ZIFA, hebraico: pedido emprestado – 1Cr 4.16
ZIFE, um mês no ano dos hebreus, pedido emprestado – Js 15.24
ZIFIOM, hebraico: flagrante – Gn 46.16

ZIFOM, hebraico: flagrante – Gn 46.16

ZIFROM, hebraico: fragância – Nm 34.9

ZILÁ, hebraico: sombra – Gn 4.19

ZILETAI, hebraico: sombra do senhor – 1Cr 8.20

ZILPA, hebraico: gota ou mirra – Gn 29.24

ZIM, hebraico: palmeira baixa – Nm 34.3

ZIMA, hebraico: artifício, conselho – 1Cr 6.20

ZINRÃ, hebraico: célebre – Gn 25.2

ZINRI, pertence a antípole ou dança do senhor – Nm 25.14

ZIOR, hebraico: pequenez – Js 15.54

ZIPOR, hebraico: passarinho, pardal – Nm 22.2

ZIPORA, hebraico: passarinho – Êx 2.21

ZITRI, hebraico: proteção do Senhor – Êx 6.22

ZIVE, hebraico: esplendor das flores – IRs 6.1

ZIZ, hebraico: uma flôr, placa polida – 2Cr 20.16

ZIZA, hebraico: abubundância ou brilho – 1Cr 4.37

ZIZÃ, hebraico: fertilidade – 2Cr 11.20

ZIZA-ZARQUE, hebraico: abundância, brilho - 1Cr 4.37

ZOÃ, hebraico: lugar baixo – Nm 13.20

ZOAR, hebraico: pequeno, bilho, brancura – Gn 13.10

ZOBA, hebraico: depressão – 1Sm 17.47

ZOBEBA, hebraico: movimento brando – 1Cr 4.8

ZOELETE, hebraico: réptil – 1Rs 1.9

ZOETE, hebraico: tirando com violência, corpulento – 1Cr 4.20

ZOFA, hebraico: expansão – 1Cr 7.35

ZOFAI, hebraico: doce de mel – 1Cr 6.26

ZOFAR, hebraico: gorjeador – Jó 2.11

ZOFIM, hebraico: vigias – Nm 23.14

ZORÁ, hebraico: lugar de vespões – Js 15.33

ZOREÁ, hebraico: enxame de abelha – Js 19.41

ZOROBABEL, hebraico: nascido em Babilônia – Ed 3.8

ZUAR, hebraico: pequenez – Nm 1.8

ZUFE, hebraico: doze – 1Cr 6.35

ZUR, hebraico: rocha – Nmj 25.15

ZURIEL, hebraico: a minha rocha é Jeová ou Deus é uma rocha – Nm 3.35

ZURISADAI, hebraico: a minha rocha é o todo poderoso – Nm 1.6

ZUZINS, hebraico: gigantes – Gn 14.5

ANEXO

NOMES COMUNS

NOMES COMUNS

A

ABDÃO, hebraico: aquele que serve
ABDIR, hebraico: poderoso
ABILIO, latim: sem cólera; sem vingança
ACÁCIO, grego: espinhos; penoso
ACRÍSIO, grego: aquele que não discerne; não distingue
ADAMÂNCIO, latim: de diamante; duro como diamante
ADAMANTINA (O), grego: muito amável; preciosa
ADAMASTOR, grego: diamante; ou indomável
ADAMINA, hebraico: da terra vermelha
ADAMO, latim: amo excessivamente
ADAUTO, latim: aumentado ou reunido, ajuntado
ADELFO, grego: fraternal
ADEODATO, grego: Deus deu bondosamente, ou dado por Deus
ADRIANA(O), latim: pessoa escura
AÉCIO, grego: águia
AFRA, latim: africana
AFRÂNIO, latim: africano
AGAMENOM, grego: muita reflexão, resistente
AGÁPIO, grego: afeição, caridade
AGAPÍTO, grego: amável, querido
ÁGATA, grego: bondade
AGDA, grego: variação de Ágata, bondade
AGLÁIA, grego: bela, gloriosa
AGENOR, grego: bravo, soberbo, viril
AGNATO (A), latim: parente por linha paterna
ÁGNELO (A), latim: o cordeirinho
AGNÊS, grego: pura dócil, meiga
AGRÉCIO, latim: do campo
AGRIPINO (A), latim: nascimento difícil
AJAX, grego: que geme

ALAOR, latim: alegre
ALBUQUERQUE, latim: cavalo branco
ALBA, latim: alva, muito branca
ALBINA(O), latim: alvo, branco
ALCEU, grego: forte, vigoroso
ALCESTE, grego: forte, vigoroso
ALCEBIADES, grego: violento e generoso
ALCINA (O), grego: de espírito forte
ALCIONE, grego: maçarico
ALÉCIO, latim: a salmoura; calda de peixe
ALÉDIO, latim: veloz
ALETE, latim: alada; semente de passarinho
ALEXIS, grego: variante de Alexandre
ALFEU, grego: branco; **hebraico:** transitório, passageiro
ALICE, grego: nobre, bom animo-anglo-saxão a defensora; protetora
ALICIA, grego: variante de Alice
ALÍPIO, grego: alegre
ALOIR, grego: gigante
ALTÉIA, grego: benfazeja
ALTINO (A), latim: de estatura descumunal, germânico velho; experiênte
AMADO (A), latim: literal
AMADEU, latim: Amado de Deus
AMADOR, latim: aquele que ama
AMANDA(O), latim: digna de ser amada
AMÂNCIO, latim: aquele que está amando
AMANDINA (O), latim: aquela que deve ser amada
AMARANTO, grego: que não desmerece
AMARÍLIS, grego: fresca ou brilhante
AMARINO (A), latim: um tanto amargo
AMARO, latim: amado (a)
AMBRÓSIO (A), grego: o imortal
AMENA, latim: aprazivel, agradável
AMOROSO, latim: que tem amor ou sente amor
AMICIA, latim: amizade
ANACLETO, grego: chamado de novo; invocado
ANASTÁCIO (A), grego: a ressurreição
ANAXÁGORAS, grego: chefe da reunião

ANCILA, latim: a serva
ANÉSIO, grego: repouso
ANDRE(IA), grego: forte, viril, vigoroso(a)
ANGELO, latim: anjo
ANÉSIO(A), grego: repouso ou desmemoriado
ÂNGELO(A), grego: mensageiro(a)
ANGÉLICA, grego: pura como anjo
ANICETO, grego: invencível
ANISIO, grego: completo
ANSELMO, grego: elmo divino
ANTEMIO, grego: pequena flor
ANTENOR, grego: o que esta ou ocupa lugar de outro homem
ANTERO, grego: florido
ANTEU, grego: florido; o que esta na vanguarda
ANTÓLIO, grego: homem do Oriente
ANTONIO(A), latim: inestimável
APARÍCIO, latim: aparição, que surge
APÍCIO, latim: muito elevado
APOLINÁRIO, latim: consagrado a Apolo
APOLO, latim: o anunciador
AQUELINAU, grego: governador do povo
AQUILES, grego: sem lábios, o que tem labios curto
AQUILINO(A), latim: altar formoso
ARACELI, latim: altar do céu
ARCÁDIO, grego: da Arcádia, **latim:** homens ursos
ARCÂNGELO, grego: o primeiro dentre os anjos
ARCÉLIA, latim: cofre de tesouro
ARGEU, grego: fraco
ARCELINO, latim: pequeno arco
ARI, hebraico: leão
ARGENTINO, latim: de prata
ARIEL(A), hebraico: leão de Deus
ARSISTARCO, grego: ótimo chefe
ARISTEU(A), grego: ótimo
ARISTIDES, grego: brilhante por sua ascendência ou melhor dos homens
ARISTIDO, grego: o melhor cavalo
ARISTO, grego: o melhor
ARISTÓBULO, grego: conselheiro excelente

ARISTOCLES, grego: o melhor do povo
ARISTODEMO, grego: o que parece melhor
ARISTÓFANES, grego: o que aparece melhor
ARISTÓFILO, grego: amigo do melhor ou do bem escolhido
ARISTON, grego: o melhor
ARISTÓTELES, grego: ótimo conselheiro
ARNÓBIO, grego: vida de cordeiro
ARQUIMEDES, grego: o que pensa muito
ARSÊNIO, grego: viril, masculo
ARTEMISA, grego: perfeita
ASCÂNIO, latim: que subiu, que se elevou
ASCENDINO, latim: que sobe, que se eleva
ASÉLIA (O), latim: jumentinho
ASPÁSIO (A), grego: carinhoso
ASSUNÇÃO, latim: elevação
ASSUNTA, latim: elevada
ASTERIA(O), grego: brilhante como astro
ATANÁSIO(A), grego: imortal
ATÍLIO, latim: o que tem os pés torto
ATREU, grego: que nada teme
AULETE, grego: latino – flautista
AURA, latim: vento brando – brisa
AUREA(O), latim: feita de ouro
AURELIANO, latim: filho do ouro
AURÉLIO(A), latim: brilhante, radiante
AURISTELA, latim: Estrela de ouro
AURORA, latim: brilhante, luz matutina
AUTA, latim: aumentada em graça
AVELINOI(A), latim: avelã
AVÍDIO, latim: cobiçoso, insaciável
AZALÉA ou AZALÉIA, grego: poupada de Deus
AZAIR, hebraico: rico

B

BALBINO(A), latim: diminutivo de Balbo = gago
BALBO, latim: gago, aquele que balbucia
BÁRBARA, grego: latino – estrangeira

BASILEU, grego: rei
BASILÉIA, grego: rainha
BASILIANO(A), grego: cheio de realeza
BASILINO(A), grego: latino – soberano
BASILIO, grego: latino – magnificente, soberano, rei
BATISTA, grego: aquele que batiza
BEATRIZ, latim: aquele que abençoa, que faz os outros felizes
BELA(O), latim: linda
BELISÁRIO, grego: arremessador de dardo, guerreiro
BENÍCIO(A), latim: muito bondosa(o)
BENIGNA(O), latim: gentil afetuosa
BENTO, latim: abençoado
BENVINDO(A), latim: a que chegou a salvo
BERILO, grego: a jóia verde do mar
BIANOR, grego: o que é violento
BLANDA, latim: afável, carinhosa
BLANDINO, latim: afável, carinhoso
BONIFÁCIO, latim: aquele que faz o bem
BRAULIO(A), latim: resplandecente, radiante

C

CAETANO, latim: natureal de Coleta – Italia-grego queimar
CALANDRA, grego: a cotovia
CALANTA, grego: flor formosa
CALIDORA, grego: dádiva formosa
CALINA, grego: espirituosa
CALÍOPE, grego: face formosa
CALIPO, grego: corajoso, bravo
CALISTENE, grego: beleza, força
CALISTO, grego: belissimo
CALIXTO, latim: cálice
CALVINO, latim: calvo, calvinho
CAMÍLO(A), latim: jovem criado
CÂNDIDO(A), latim: alvo, puro, branco
CAOMO, grego: o homem do Oriente

CARINA, latim: pura forma reduzida de Catarina – italiano querido
CARITA, latim: carridade
CARLOS, latim: homem germanico masculo, viril
CARLA, latim: homem germanico masculo, viril
CARLOTA, forma diminutiva de Carlos
CARMELA(O), hebraico: pomar, a vinha do Senhor
CARMEM, latim: poema
CARMO, hebraico: jardim de Deus
CASSANDRA, grego: auxiliar de homens
CASSIANO, latim: muito equitativo
CATALINA, grego: pura
CATÃO, latim: circunspecto, prudente, astuto
CATARINA, grego: pura
CÁTIA, forma reduzida de Catarina, pura
CATULO, latim: astuto
CECI, latim: forma reduzida de Cecilia, de cego
CECÍLIA(O), latim: de cego
CELESTE, latim: do céu
CELINA, latim: filha do céu
CÉLIO(A), latim: do céu
CELSO(A), latim: elevado, alto
CESARINO(A), latim: pertencente a César
CESÁRIO(A), latim: pertencente a César
CESIRO, grego: pomposo
CIBELE, grego: a grande mãe dos deuses
CÍCERO(A), latim: ervilha, grão
CINIRA, grego: cardo ou alcachofra
CINCINATO, latim: o que tem cabelo encaracolado
CÍNTIA, latim: natural de Cíntio
CIPIÃO, latim: bordão
CIPRIANO(A), latim: natural de Chipre, cipriota
CIRCE, grego: a filha do sol
CIRENE(A) ou (O), grego: nascente, manancial
CIRÍACO, grego: homem do Senhor
CIRILO, grego: de plena autoridade
CLARA, latim: brilhante luzente, ilustre
CLARÊNCIO, latim: ilustrado, esclarecido
CLAUDETE, forma diminutiva de Claudia, coxo, manco

CLAUDIO(A), latim: coxo, manco
CLAUDIONOR, latim: aquele que honra Claúdio
CLEANDRO, grego: homem glorioso
CLEANTO(A), grego: homem glorioso
CLÉLIA, latim: formosa, nobre
CLÉLIO, grego: glorioso, filho de cliente
CLEMENCIA, latim: bondade, benevolência
CLEMENTE, latim: bondoso
CLEO, grego: glória
CLEODORO, grego: dádiva gloriosa, dado à gloria
CLEOMENES, grego: famoso por sua valentia
CLEOMÊNIA, grego: lua gloriosa
CLEONICE, grego: gloriosa na vitoria
CLEÔNIDES, grego: que tem a aparência da glória
CLETO, grego: o eleito
CLEUMA, grego: lua gloriosa
CLICÍA, grego: gloriosa
CLÍMACO, grego: escada
CLIDIA, grego: a festejada, a vitoriosa
CLÍMÊIA, grego: renovada
CLIMÊNIA, grego: renovada
CLORINDA, grego: a verdejante
CLITIA, grego: o girassol
CLITO, grego: ilustre
CLORIS, grego: deusa das flores
COLOGERO, grego: belo velho
COLOMBO, latim: pombo
CONCÓRDIA, latim: harmonia
CONSTÂNCIO(A), latim: de firme caracter
CONSTANTINO(A), latim: firme, constante
CORA, grego: a criada, a virgem
CORÁLIA, grego: virgem dos mares
CORISSA, grego: a mais pura
COSME, grego: ornado, belo
COSMO, grego: mundo, universo
CRASSO, latim: gordo
CRESCÊNCIO, latim: crescente, que cresce
CREUSA, grego: rainha, princesa, dona, dominadora
CRISANDRO, grego: homem de ouro

CRISANTO, grego: flor de ouro
CRISÓLITO, grego: pedra de ouro
CRISÓSTOMO, grego: boca de ouro
CRISTÁLIA, latim: clara como cristal
CRISTIANO(A), grego: ungido do Senhor
CRISTINO(A), grego: ungido do Senhor
CRISTOVÃO, grego: o portador de Cristo
CUSTÓDIO(A), latim: guardião, o que guarda

D

DÁCIANO, latim: natural da Dácia
DÁCIO, latim: dado por Deus
DAMARINA, hebraico: mulher pequena
DAMASCENO, grego: natural de Damasco
DAMÁSIO, grego: domar, dominar
DAMIANO(A), grego: popular
DAMIÃO, latim: homem do povo
DÂMACLES, grego: glória do povo
DANILO, variante de Daniel
DANTE, latim: permanente
DÁRIO, grego: o poderoso
DATIVO(A) latim: que é dado
DÉA, latim: deusa
DÉCIO, latim: dez o décimo filho
DÉDALO(A), grego: o engenhoso, o inventor
DÉIA, latim: deusa
DEJANIRA, (DJANIRA), grego: o que vence os herois
DELFIM, latim: golfinho
DÉLIO, latim: claro, brilhante
DEMÓCRATES, grego: dirigente do povo
DEMÓCRITO, grego: eleito do povo, juiz do povo
DEMÓSTENES, grego: força do povo
DENIS, grego: Deus do vinho
DEOCLECIANO, grego: glória de Deus
DEODATO(A), latim: dado a Deus
DEODORO(A), grego: dádiva de Deus

DESIDÉRIO, latim: desejado
DESDÊMONA, grego: de ma estrela
DICÉIA, grego: justiça
DEUSDETE, latim: dado por Deus
DIOCLÉCIO, grego: glória de Jupiter
DIALINA, grego: do ar
DIÓGENES, grego: jurado por Deus, de nascimento divino
DIANA, latim: deusa da caça
DIOMEDES, grego: cuidado por Deus
DIOMIRO, grego: amado por Deus
DIRCE, grego: fonte
DIRCEU (DIRCEIA), grego: fonte
DIVA, latim: deusa
DOMÍCIA, latim: deusa do lar
DOMICIANO(A), latim: homem domado, de genio brando
DOMÍCIO(A), latim: da casa
DOMINGOS, latim: nascido no domingo
DONARIA, latim: dádiva
DONATO, latim: dado doado
DÓRIS, grego: filho do amor, presente
DOROTEU (DOROTEIA), grego: dádiva de Deus
DULCE, latim: doce, meiga
DULCIDIO(A), latim: doce, branda

E

EBE, grego: juventude
EDELTRUDES, latim: nobre fé
EDNA, hebraico: rejuvenescimento, prazer
ÉLCIO, grego: águia
EDÉSIO(A), latim: deusa da refeição
EGIDIO(A), grego: aquele que proteje, escudo de Deus
ÉGINA, grego: ninfa
EGISTO, grego: criado por cabra
EGLE, grego: luz

ÉGON, grego: lutador
ELANA, grego: tocha luz
ELAINE, grego: a luminosa, luz, variante de Helena
ELBA, grego: floresta, celta-alta
ELDA, hebraico: bem amada de Deus
ELETRA, grego: resplandecência
ELIANA, grego: latino, bela como o sol
ELICE, hebraico: Jeová é Senhor
ELÍSIO, grego: divinal
ELIGIO, latim: o escolhido, o eleito
ELISIO, grego: divinal
ELMA, grego: amigável
ELPIDIO, grego: o que tem esperança
ELZEÁRIO, hebraico: socorro de Deus
ELVIRA, latim: branca, loura
EMÉLIA, grego: melodia
EMÍDIO, latim: semideus
EMILIA(O), latim: zelosa, solicita
EMPODÓCLES, grego: de glória permanente
ENCARNAÇÃO, latim: sentido literal
ENGRACIA, latim: a que caiu nas graças
EPAMINONDAS, grego: o ótimo, o melhor
EPÍCURO, grego: caritativo
EPIFÂNIO(A), grego: revelação
EPITÁCIO, grego: o que comanda, chefe imperioso
ERASMO, grego: amável
ERSILIA, grego: orvalho
ESCOLASTICO(A), grego: estudioso
ÉSIO, grego: feliz, propicio
ESMÉRIA, grego: flauta
ESPIRIDIÃO, latim: sopro de Deus
ÉSQUILO, grego: feio, disforme
ESTÁCIO, latim: o que esta de pé
ESTELA, latim: estrela
ESTELIO, latim: brilhante como estrela
ESTEVÃO, grego: coroado
EUCADIA, grego: o que há de bom, bondade
EUCLICE, de nobre linguagem
EUCLIDES, grego: glorioso, ilustre

EUDORO(A), grego: bom presente
EUDÔXIA(O), grego: de boa reputação
EUFÊMIO(A), grego: o bom falador
EUFRÁSIO(A), grego: alegria
EUFRÔNIO, grego: alegria
EUFROSINA(O), grego: alegria, jovialidade
EUGÊNIO, grego: bem nascido
EULÂLIO(A), grego: bem falante, eloquente
EULINO(A), grego: de boa linhagem
EULOGIO, homem de boa razão, discreto
EURIPEDES, grego: vento que sopra
EURICÉIA, grego: feliz gloria
EURIDÍCE, grego: de ampla justiça
EUSÉBIO, grego: piedoso, homem religioso
EUSTÁQUIO, grego: carregado de belas espigas
EUTÁLIA, grego: florescência de bela vegetação
EVANDRO, grego: benfeitor
EVANGELINO(A), grego: que trás boas noticias
EVANINA, grego: impertubável
EVANTA, grego: flôr graciosa
EXPEDITO, latim: desembaraço, esperto
ÉZIO, grego: águia

F

FABIANO, latim: fava que cresce
FÁBIO(A), latim: fava
FABRÍCIO(A), latim: o artífice
FARÓS, hebraico: pulga
FASCÍNIO(A), latim: que encanta
FAUSTO(A), latim: auspicioso, feliz venturoso
FAUSTINO, latim: variante de Fausto
FEBO(A), grego: resplandecente
FEDRO, grego: brilhante, claro
FÉLIX, latim: feliz
FIDÉLIS(NA), latim: feliz, leal
FIDÊNCIO, latim: confiante, firme
FÍDIAS, grego: economico

FIDÚCIA, latim: confidência
FILADELFO, grego: amigo do irmão
FILEIAS, grego: que ama, que tem amizade
FILEMENO(A), grego: amável, amigo do canto
FILOTÉIA(EU), grego: amiga de Deus
FIUZA, latim: confiança, segurança
FLAMINIO(A), latim: sopro, espirito
FLÁVIO, latim: louvro que tem cor de ouro
FLORA, latim: deusa das flores
FLORÁLIA, latim: os jardins
FLORIDA, latim: esplendida, brilhante
FLORÊNCIO(A), latim: espcécie de vida
FLORIANA, latim: da flor
FLORINDO(A), latim: esplendido, florescente
FLORISVAL, latim: vale florido
FORTUNATO(A), latim: afortunado
FRUTUOSO(A), latim: o que dá muitos frutos
FULGÊNCIO(A), latim: que brilha
FÚLVIO(A), latim: fulvo, louvo, avermelhado

G

GANIMEDES, grego: que aconselha com alegria
GASPAR, persa: tesouro
GAUDÊNCIO, latim: que se regozija ou gozador
GELÁSIO, grego: sorridente
GEMINIANO(A), latim: que geme
GEMA, latim: pedra preciosa
GENEROSO(A), latim: nobre, corajoso
GENTIL, latim: dedicado, gentil
GENUÍNO(A), latim: natural, nativo, próprio
GERMANO, latim: verdadeiro germanico – homem armado de lança
GERÔNCIO, grego: velho
GEÓRGIA(O), grego: campestre
GLAFIRA, grego: afável, gentil

GLAUCO(A), grego: latino, verde-azulado, verde-mar
GLAUDÊNCIA(O), latim: aquela que regozija
GLICÉRIO(A), grego: amável
GLICINA, grego: substancia açucarada
GLÓRIA, latim: bem-aventurança
GRAÇA, latim: graça, benevolência, dom
GRACIANO(A), latim: cheio de graça
GRACO, latim: gralha
GRATA(O), latim: agradecida
GREGÓRIO, latim: que reune em bancos, **grego:** o vigilante
GUTA, latim: gota ou mácula, nódoa

H

HAIDÊ, grego: modesta, honrada ou auxiliadora
HALINE(A), grego: que tem sal
HEBE, grego: juventude, mocidade
HEDI, grego: doce
HEITOR, grego: o possuidor
HELÁDIO, grego: helênico
HÉLCIO, latim: cordeiro, corda de puxar qualquer coisa
HELENA, grego: tocha, luz
HELIANTO, grego: girassol
HÉLIO(A), grego: dádiva do Sol
HELIODORO, grego: dado pelo Sol
HELVÉCIO(A), latim: branco luzente
HÉLVIO, latim: castanho, pardo, escuro
HEMETÉRIO, grego: nosso, da nossa (patria)
HERA, latim: senhora
HERÁCLIO, grego: consagrado a Hércules, famoso com Hera
HERÁCLITO, grego: protegido por Hércules
HERALDO, latim: arauto, mensageiro
HERCULANO(A), latim: dedicado a Hércules
HERCULES, grego: o que cerca, o que fecha; **latim:** separar, encerar
HERIBERTO, grego: ilustre, brilhante

HERMES, grego: explicar, esclarecer
HERMOGENES, grego: de boa saúde, sádio
HERODIADES, grego: filha de herói
HERÓDOTO, grego: presente de hera, ou dado por Juno
HERON, grego: herói
HERSÍLIA, grego: orvalho, masculo; **latim:** deusa da mocidade
HESÍODO, grego: guia
HIERO, grego: sagrado
HIÉROCLES, grego: glória sagrada
HÍGIA, grego: salutar
HIGINO, grego: são, saudável
HILÁRIO(A), grego: alegre, jovial
HIPÓCRATES, grego: que tem força de cavalo
HÍPOLITO, grego: aquela que destrela cavalo
HIRUNDINO, latim: da andorinha
HOMÉRO, grego: refém, segurança, cego, unido, ligado
HONORATO(A), latim: aquele que merece ser honrado
HONÓRIO(A), latim: honra
HORÁCIO, latim: visível, evidente, **grego:** idade, mocidade
HOSTILIO, latim: adverso, hostil

I

IANTA, grego: flor de cor violeta
IDALINO(A), latim: natural da Idalia, ou sol flamejante
IDOMEU, latim: espírito vidente
IFIGÊNIA(O), grego: com vigor, com força, nascido com poder
INÁCIO(A), latim: ardente, fogoso – **grego:** o nascido, o filho
INÊS, grego: apura, a casta
INOCÊNCIO(A), latim: inofensivo, o que não comete mal
IOLANDA, grego: violeta, roxo, **alemão:** a que trabalha artisticamente
IONE, grego: pedra violeta
IRENE, grego: paz
IRINEU (IRINEIA), grego: homem pacífico
ÍRIS, grego: a mensageira, a apressada

ISAURO(A), latim: igual a ouro **grego:** veloz como o vento
ISEN, grego: igual
ISIDORA, grego: dádiva de Isis
ISMÊNIO(A), grego: o desejado, saudade, sábio, instruido
ISOFÂNIO(A), grego: força igual

J

JACINTO(A), grego: latino, pedra preciosa
JÂNIO, latim: referente ao deus Jano
JANUÁRIO, latim: consagrado a Jano
JERUSA, hebraico: paz
JÉSSICA, hebraico: a que tem muita riqueza
JORDONO, hebraico: aquele que descende
JORGE, grego: fazendeiro, agricultor
JOVINO(A), latim: pertencente a Jupiter
JOSEFINA, hebraico: aquela que acrescenta
JOVIANA, latim: consagrada a Jupiter
JOVITA, latim: atividade, energia
JUVENTINO, latim: variante de Juvêncio, mocidade
JÚNIA, latim: jovem
JULIANO(A), latim: que pertence a Julio
JUVÊNCIO, latim: juventude, mocidade
JUVENINA, latim: da juventude
JUVENAL, latim: da juventude

K

KÁTIA, grego: pura
KARINA, grego: pura forma

LACÍNIO, latim: do promatório romano
LADÁRIO, latim: ladainha
LAÉCIO, latim: da Laécia
LAERTE(S), grego: formiga, o arauto levantador de pedra
LAÍS, grego: a democrática, a popular
LAODICE, grego: o que faz justiça ao povo
LAUDELINO, latim: o que merece louvor, o que louva
LAUDEMIRO, latim: digno de admiração e louvor
LAURÊNCIO(A), latim: coroados de louros
LAURIANO(A), latim: relativo a Lauro
LAURO, latim: Loureiro (planta), vitória, louvor
LAVINIO(A), latim: em louvor a Lavinía
LÉA, latim: leoa, **hebraico:** a cansada, a debelitada
LEANDRO, grego: latino, homem-leão, **grego:** homem calmo, homem do povo
LEDA(O), latim: alegre
LÉLIO, latim: esquerdo
LENA, grego: luz, sedução
LENITA, latim: mansidão
LÉO, latim: leão
LEOCÁDIO(A), grego: branco, vasilha do Leão
LEONATO, latim: nascido leão
LEÔNCIO(A), latim: semelhante a um leão, **grego:** leonino
LEÔNIA, latim: que tem aparência de leão
LEÔNIDAS, grego: em forma de leão
LETÍCIA, latim: alegria, contentamento
LIBÂNIA, grego: incenso
LIBÉRIO, latim: livre
LIBERIO(A), latim: livre
LICÍNIO(A), latim: de cabelos lisos
LICURGO, grego: o que repele lobos, caçador de lobos
LÍLIA, latim: lírio
LINDA, latim: bela, bonita, **germanico:** a defensora
LINA, grego: sedução, luz
LISANDRO(A), grego: o que liberta o homem
LISÂNIAS, grego: o que dissipa a tristeza
LIVIO(A), latim: pálido, azulado

LORETO(A), latim: bosquezinho de loureiros
LOURENÇO, latim: adornado com louro
LOURIVAL, latim: que tem louros
LUCANO, latim: brilhante, luminoso
LUCILA, latim: luminosa
LÚCIA, latim: luz
LUCILIO(A), latim: luz, luminosa
LUCINA, latim: que tem luz
LUCIÓLA, latim: pequena luz
LUCRÉCIO(A), latim: nobre de celebre poeta lírico, lucro
LUELA, latim: expiação
LUPERCIO(A), latim: o que afasta o lobo
LUPO, latim: lobo
LUZO, latim: aquele que reluz

M

MABEL, latim: amável
MACÁRIO, grego: feliz, afortunado
MACRINO, latim: muito tenuê
MACÊDONIO, latim: eminente, excelso
MAÍSA, grego: pérola
MAGNA(O), latim: grande
MALVA, grego: macio, **latim:** flor da malva
MALINA, hebraico: torre, **latim:** maliciosa
MÂNCIO, latim: o que nasceu de manhã
MANUEL(A), hebraico: Deus conosco
MANSUETO, latim: dócil, calmo
MARCELO, latim: que descende de marte
MARCIA(O), latim: marcial, guerreira
MARCIAL, latim: guerreiro
MARGARIDA, latim: pérola
MARILUCE, latim: luz do mar
MARINHO, latim: do mar
MARIO, latim: homem por excelência
MARISTELA, latim: estrela do mar
MARTIM,(MARTINA), latim: guerreiro

MAURICIO(A), latim: forma derivada de Mauro
MAURO(A), latim: de pele escura, pardo como um mourão
MÁXIMO, latim: o maior
MECENA, latim: o protetor de sábios
MELÂNIA(O), grego: cor escura
MELANTA, grego: flor escura
MELINDA, grego: que canta amorosamente
MELISSA, grego: mel
MELITA(O), latim: doce como o mel
MELITINA, latim: doce como o mel
MELQUIADES, hebraico: Jeová é rei
MELQUIOR, hebraico: rei da luz
MENELAU, grego: o que não se curva ao povo
MICAELA, hebraico: quem é como Deus
MILO, latim: a coleira
MILCÍADES, grego: vermelhão
MINERVA, latim: a pensadora
MIRA(O), latim: a maravilhosa
MIRABEL(A), latim: maravilha
MIRANDA, latim: a que se admira
MIRNA, grego: coroa de beleza, gentil, cortes
MIRTO, grego: morta
MIRTES, grego: murta
MODESTO, latim: modeado, modesto
MORFEU, grgo: imagem, forma
MONA, grego: único italiano, minha senhora, irlandês nobre
MÔNICA, latim: conselheira, **grego:** solitária
MORFEU, grego: imagem, forma, deus do sonho

N

NÁIDE, grego: ninfa ou deusa das águas
NANA, hebraico: graça
NAPOLEÃO, grego: o leão da floresta, **latim:** napolitano
NARCISO, grego: o que adormece
NATAL, latim: A pátria, o nascimento
NATÁLIA, latim: o dia do nascimento

NATALÍCIO(A), latim: relativo ao nascimento
NATALINO(A), latim: nascimento ou dia natalicio
NATÂNIA, hebraico: prenda de Deus
NAZÁRIO(A), hebraico: consagrado a Deus, coroado
NEANDRO, grego: homem jovem
NEIDE, grego: nadadora
NEMÉSIO, grego: Deus do destino
NEMORINO, grego: homem do bosque
NEREIDA, grego: ninfas do mar
NEOMA, grego: lua nova
NÉRIA, latim: deusa dos sabinos
NERINA, grego: filha de Nereu
NESTOR, grego: regresso
NEUSA, grego: a nadadora
NEVIO, latim: o que tem sinal ou marca
NICÁCIO, grego: vitorioso
NICANDRO, grego: vencedor de homem
NICE, grego: vitória
NICOLAS, grego: o vencedor do povo
NICOMEDES, grego: aquele que planeja a vitoria
NIDIA, latim: o ninho
NÍVEA, latim: alva como a neve
NOLITA, latim: sem vontade
NORMA, latim: modelo, regra
NÚNCIO, latim: mensageiro
NUNCIA, latim: mensageira
NUNO, hebraico: peixe, **latim:** avô

O

OCELA, latim: olho pequeno
ODESSA, grega: longa jornada, odisséia
ODORIA, latim: cheiro
OFÉLIA(O), grego: serpente ou auxílio, socorro, **aramaico:** doce
OLINDA, latim: fragrância, odorosa, **germanico:** escudo das riquezas

OLINDO, grego: figo verde
OLIVEIRO, latim: oliveiro, **germanico:** exercítos de elfos
OLÍVIO(A), latim: a oliveira
ONDINA(O), latim: onda pequena
ONÉSIO(A), grego: auxiliar, ser útil a alguém
ORESTES, grego: montanhês
ORFEU, grego: orfão
ORÍGENES, grego: egipcio, o que nasceu nos montes
OSNI, hebraico: Deus ouviu
OTAVIO(A), latim: oitavo filho
OTACILIO, grego: que escuta
OVIDIO, latim: de ovelha, criador de ovelhas

P

PACÍFICO(A), latim: amigo da paz
PALÁDIO, grego: consagrado a Palas
PALMIRA, latim: a terra das palmeiras
PAMELA, grego: amante do canto ou todo mel
PANCRÁCIO, grego: forte na luta, todo poderoso
PANDÓRA, grego: dotada de tudo
PÂNFILIO, grego: amigos de todos, que ama tudo
PANTALEÃO, grego: forte como um leão, em tudo, que se compadece de todo
PANTÉIA, grego: de todos os deuses
PARIS, grego: lutador
PARÍCIO, latim: gerado, o de Paris
PAVÊNCIA, latim: de nobre estirpe
PATRÓCLO, grego: a glória do Pai
PENÊPOLE, grego: a que desafia tecidos, a tecedeira
PELÁGIO, grego: homem do mar
PERGENTINO, latim: andante, caminhante
PELÓPIDAS, grego: cara preta
PERICLES, grego: muito ilustre, circuncidado de glória
PEREGRINO, latim: estrangeiro

PERPÉTUO, latim: o que sempre dura
PEPILO, grego: que olha em torno
PÉRSIO, grego: o saqueador
PETRARCA, grega: governo do povo
PETRONILHO, latim: regato que corre entre pedras
PETRÔNIO(A), latim: quarto filho
PIHADES, grego: o cabneludo, o que tem cabelos
PIO(A), latim: bondoso
PITÁGORAS, grego: praça, foro
PLÁCIDO(A), latim: calmo, pacífico, sossegado
PLATÃO, grego: largo, ou o que tem espaduas largas
PLAUTO, latim: aquele que tem pés chatos e largos
PLINIO, latim: completo, cheio, pleno, rico
PLUTARCO, grego: aquele que administra a riquesas, o senhor das riquesas
PONCIANO, latim: ligado apôncio
POLÍBIO, grego: de vida muito rica, cheio de vida
POLIDORO, grego: grande dádiva
POLICARPO, grego: aquele que é muito liberal
POLICREPO, grego: celébrino
POLIFEMO, grego: grande conservador
PORFÍRIO, grego: revestido de purpura
PRAXEDES, grego: ativo, prático
PRECIOSA, latim: valiosa
PRÍAMO, grego: o que resgata
PRIMO, latim: o primeiro filho
PROMETEU, grego: sensato
PROSPÉRCIO, latim: o que nasceu antes do tempo
PRÓSPERO(A), latim: prospero, favorável
PROTÁGORAS, grego: o primeiro da assembléia do povo
PROTÁSIO, grego: a primeira parte
PROTEU, grego: o primogênito
PRUDÊNCIO(A), latim: cauteloso
PRUDENTE, variante de Prudêncio
PÚBLIA(O), latim: formosa, bela

Q

QUILON, grego: o que tem labios grossos
QUINTILO(A), latim: o quinto
QUIROM, grego: o que maneja bem a mão

R

RAFAELA, hebraico: curada por Deus
REDENTA, latim: a redimida
RÉGIA, latim: do rei, real
REGINA, latim: rainha
REMÍGIO, latim: remador
REMO, latim: o que rema
REMULO, latim: pequeno remo
RENATO(A), latim: renascido
RENITA, latim: resistente
RIVA, latim: ribeiro, riacho
RODIA, grego: rosa
ROMERO, grego-latino: romeiro
ROMEU, latim: peregrino
RÔMULO(A), latim: Senhor de Roma
ROSÁRIO(A), latim: feito de rosas
ROSAURA, latim: rosa de ouro
ROSCELI, latim: orvalho do céu
RÓSCIO, latim: orvalho
RUFINO(A), latim: ruivo
RUTILIO, latim: ruivo, alourado

S

SABINO(A), latim: indivíduo pertencente ao povo sabino
SABRINA, latim: da linha fronteriça
SALMA, latim: prece, arave a pacífica
SALUSTIO(A), latim: salvação

SALVIANO, latim: segurança
SÁLVIO(A), latim: prudente, sádio
SAMANTA, aramaico: ouvinte
SAMARA, hebraico: guiada por Deus
SANTA, latim: inocente, casta, sagrada
SATÍRO, grego: sedutor, luxioso
SATURNINO(A), latim: dedicado a Saturno
SEBASTIÃO(NA), grego: sagrado, magnífico
SECUNDINO, latim: aquele que nasceu no segundo lugar
SELENA, grega: a lua
SEMELA, latim: uma vez
SEMIRA, hebraico: a altura do céu
SEMÍRAMIS, assírio: pomba amorosa, amante de pomba
SERVÍLIO(A), latim: aquele que serve
SÉRVIO, latim: salvo, liberto
SÉRVULO(A), latim: o escravo de última classe
SEVERIÁNO(A), latim: glorioso, austero
SEVERO(A), latim: austero, rigoroso
SIBILA, latim: profetisa, conselheira dos deuses
SILENA, grego: zombadora
SILVANA(O), latim: das selvas, bosques
SILVÉRIO(A), latim: da floresta, da selva
SILVESTRE, latim: própria da selva
SILVIA(O), latim: da selva
SILVINA(O), latim: da selva
SIMONE, hebraico: ouvinte
SIMPLÍCIO(A), latim: que tem simplicidade
SINÉSIA, grego: que revela prudência
SIRENA, grego: que canta suavemente
SÓCRATES, grego: força razoável, são de espírito
SOFIA, grego: sabedoria
SÓFOCLES, grego: sábio
SOFRÔNIO, grego: prudente
SOLANGE, latim: solene, magestosa
SOLEDADE, latim: solidão
SÓLON, grego: lançador de disco
SOTERO, grego: salvador
STELA, latim: estrela

T

TÁCITO(A), latim: calado
TAÍS, grego: a que admira, se contempla
TALASSA, grego: do mar
TALÉIA, grego: florescente
TALES, grego: verdejar, prazeres
TÁLIA, grego: florescente
TARQUÍNIO(A), latim: aquele que é natural de Tarquinos, rei, principe
TARSÍLIO, grego: glória de Deus
TASSO, grego: o ordeiro, metódico
TÉCIA, grego: gloria de Deus
TÉIA, grego: deusa
TELEMACO, grego: o que luta por um fim
TEMÍSTOCLES, grego: célebre por sua justiça
TEÓBULO, grego: conselheiro de Deus
TEÓCRITO, grego: escolhido por Deus
TEODATO, grego-latino: dado a Deus
TEODORO(A), grego: dádiva do Senhor
TEODÓSIO(A), grego: dado por Deus
TEÓFANES, (TEOFANA ou TEOFANIA), grego: aquela quem Deus aparece
TEÓFILA, grego: amiga de Deus
TEÔNOMA, grego: o nome de Deus
TÊRCIA, latim: terceira filha
TERÊNCIO(A), grego: guardião, **latim:** debulhar, moer
TEREZA, grego: ceifeira, caçadora, **germanico:** amável, forte
TERTULIANO, latim: terceiro filho, recolher, pegar
TERTULINO(A), latim: terceiro filho
TESEU, grego: autor legislador
TIBURCIO, latim: natural de Tibur
TICIANO(A), pombo bravo
TIMON, grego: que venera
TITÂNIA, grego: gigante
TITA, latim: o defensor
TITIRO, grego: pastor
TOMAS, hebraico: gêmeo
TOLOMEU, grego: guerreiro

TORQUATO, latim: o que traz um olhar
TRAJANO, latim: o rei Jano
TUCIDIDES, grego: glória de Deus

U

ULISSES(EIA), grego-latino: o irritado
ULPIANO, latim: raposa
UMBELINA(O), latim: pequena sombra
URBANO(IA), latim: citadino, civilizado, cidadão de Roma
URSINO(A), latim: pequeno urso
URSULA, latim: pequena ursa

V

VALÊNCIO(A), latim: valor esforço
VALENTE, latim: robusto, são
VALENTIN(NA), latim: valoroso, forte, saudável
VALERIANO(A), latim: forte
VALÉRIO(A), latim: cheio de saúde
VASCO, latim: vão, oco
VENÂNCIO, latim: caçador
VENERANDO(A), latim: o que deve ser venerado
VERA, latim: verdadeira
VERNA, latim: primaveril
VEREDIANA, latim: verídica
VERÔNICA, latim-barbaro: da verdadeira imagem
VESPASIANO, latim: o que nasceu a noite
VESTI, persa: melhor
VICENTE, latim: aquele que vence
VIDAL, latim: vital, que tem vida, vivente
VINICIO (VENICIUS), latim: vinicultor, que tem voz agradável
VIOLANTINA, latim: pequena violeta
VIRGILIO, latim: vigilante
VIRGÍLIO, latim: vara, ramo verdejante
VIRGINIA(O), latim: virginal, donzela

VIRIDIANO(A), latim: florescente, verdejante
VITA, latim: vida
VITALINO(A), latim: cheio de vida
VITÉLIO, latim: vitela, bezerro
VITO(A), latim: vida
VITOR (VITÓRIA), latim: vencedor, triunfo
VIVÊNCIO(A), latim: vivente, vital
VIVIANA(E), latim: com vida, viva

X

XANTIPO, grego: cavalo amarelo
XÊNIA, grego: hospede, estrangeiro
XENÔCRATES, grego: hospede estrangeiro
XENOFONTE, grego: o de lingua estrangeira
XENOS, grego: estrangeiro
XILON, grego: madeira
XISTO, grego: polido, cortês

Z

ZAMIRA, hebraico: canção, melodia
ZANA, persa: mulher
ZEFERINO, grego: dedicado ao deus do vento, o portador da vida
ZÉIA, latim: aveia, grão
ZÉLIA, grego: zelo, a rival
ZENA, grega: presente do deus Zeus
ZENAIDE, grego: a que teme a Zeus, consagrada Zeus
ZÊNIA, grego: hospede
ZENON, grego: divino
ZENÔBIO(A), grego: vida dada por Zeus, poder de Zeus
ZEUS, grego: pai dos homens e dos deuses
ZOÉ, grego: vida, vital
ZOILO, grego: invejoso, murmurador
ZÓZIMO, grego: o cheio de vida

Bibliografia

A Bíblia de Jerusalém. Edições Paulinas, 1973.

A Bíbia Viva-Paráfrase. Edição Mundo Cristão.

ALMEIDA, João Ferreira de. *Bíblia*. Sociedade Bíblica Unida, edição revista e atualizada.

______ *Bíblia Sagrada*. Sociedade Britânica e Estrangeira, Rio de Janeiro, 1942.

______ *Bíblia Sagrada*. Imprensa Bíblica do Brasil, versão de acordo com os textos em hebraico e grego, 1979.

BERGSTEN, Eurico. Nomes de origem filandesa.

Bíblia. Sociedade Britânica Estrangeira, Lisboa, Portugal, 1953.

Bíblia Sagrada. 8 ed. Difusora Bíblica dos Missionários Capuchinos de Portugal, Santuário, Aparecida, São Paulo, 1978.

Bíblia Sagrada. Imprensa Bíblica Brasileira, edição revista e corrigida, 1981.

Bíblia Sagrada. Sociedade Bíblica do Brasil, edição revista e atualizada no Brasil, 1967.

Bíblia Sagrada. Sociedade Bíblica do Brasil, edição revista e corrigida, 1959.

BOYER, Orlando. *Pequena Enciclopédia Bíblica*. 1975.

CASTRO, João José Pedreira de. *Bíblia*. 47. ed. Centro Bíblico Católico, Ave Maria.

DAVIS, John D. *Dicionário da Bíblia*. 1960.

FERREIRA, João. *Bíblia Português-Inglês*. Sociedade Bíblica do Brasil.

GINGRIGH, F. Wilbur. *Léxico do N.T. Grego-Português*. Vida Nova.

J. Isidoro Pereira S. Dicionário Grego-Português. Livraria Apostólica da Imprensa, Porto, Portugal.

Bíblia Sagrada, Ed. revista e corrigida, Editora Vida 1981.

Jornal *Notícias de Israel*.

Jornal *Chamada da Meia-Noirte*.

La Santa Bíblia. Sociedade Bíblica Trinatária, London.

NAIR, S. E. Mc. *Pequeno Consiso Dicionário Bíblico*. Casa Editora Evangélica, 1947.

Novo Testamento Hebraico-Português. The Society for Distributing the Hody, Scriptures to the Jews, London.

PÁNDU, Pandiá & Ana. *Que Nome Darei ao Meu Filho*. Tecnoprint, 1977.

SCOFIELD, C.I. Anotações da Bíblia Sagrada, edição revista e atualizada no Brasil.

SEBRIAVO, José *Dicionário de Personagens Bíblicos*. Tecnoprint.

SHEDD, Russel P. *Bíblia Vida Nova*. Edições Vida Nova.

SOARES, Matos. *A Bíblia*. Edições Paulinas, 1975.

SOCIEDADE BÍBLICA AMERICANA. *La Santa Bíblia*. Versão de Casidoro de Valere (revisada por Cipriano De Valere), New York, 1960.

Tradução do Novo Mundo das Escrituras Sagradas. Brasileira, 1967.

WATSON, S. L. & Ana. *Consiso Dicionário Bíblico*. 11 ed. Imprensa Bíblica Brasileira.